# CRAZY COCK

A paraître simultanément
chez le même éditeur :
Henry MILLER, *Ultimes entretiens* avec Pascal Vrebos.
Mary DEARBORN, *Henry Miller*. Biographie.

# HENRY MILLER

# CRAZY COCK

*Traduit de l'américain par*
*Alain Defossé*

## PIERRE BELFOND
216, boulevard Saint-Germain
75007 Paris

Ce livre a été publié sous le titre original
*CRAZY COCK*
par Grove Weindenfeld, New York.

Si vous souhaitez recevoir notre catalogue
et être tenu au courant de nos publications,
envoyez vos nom et adresse, en citant ce livre,
aux Éditions Pierre Belfond,
216, bd Saint-Germain, 75007 Paris.
Et, pour le Canada, à
Edipresse Inc., 945, avenue de Beaumont,
Montréal, Québec, H3N 1W3.

ISBN 2.7144.2774.X

# INTRODUCTION

C'était en 1927. La deuxième épouse d'Henry
Miller venait de s'enfuir en Europe avec son amie lesbienne. Il se remettait d'une longue période de « désin-
tégration nerveuse », ainsi qu'il la qualifiait. Humilié,
sans le sou, il avait été contraint de retourner vivre avec
ses parents, consternés devant l'incapacité de ce fils de
trente-six ans à vivre selon leurs espérances éminem-
ment bourgeoises. En désespoir de cause, il avait
accepté un emploi de bureau sans avenir, proposé par
un ami d'enfance, autrefois son rival. Un soir pourtant, il demeura au bureau après les heures de travail
et se mit à écrire. A minuit passé, une liasse de feuillets couverts de signes — un torrent de mots — était
posée à côté de la machine à écrire. C'était là le brouillon du livre qu'il devait écrire, il le sentait : l'histoire
de son mariage avec June, l'amour de celle-ci pour Jean
Kronski, et son avilissement total face à cette trahison.
Ces notes devaient devenir *Crazy Cock*, le deuxième
roman d'Henry Miller, un pas définitif vers *Tropique
du Cancer*, l'aboutissement romanesque qui devait suivre, peu d'années après.

Ce n'était pas la première fois que Miller s'essayait
à écrire. Depuis toujours il avait envisagé de devenir
un écrivain, ou un personnage aussi exceptionnel. Pour
lui, sa date de naissance elle-même, le lendemain de

7

Noël 1891, suggérait sa singularité ; il devait affirmer plus tard que c'était une année extraordinairement importante pour la littérature.

Né de parents germano-américains appartenant à la classe moyenne — son père était tailleur —, Henry fut un enfant précoce, suscitant de grands espoirs dans sa famille. Arrivé à l'adolescence, cependant, il en vint à mépriser les études traditionnelles pour devenir un autodidacte convaincu. Des circonstances familiales excluant toutes études supérieures, à part un bref séjour au City College, c'est sans enthousiasme qu'il rejoignit son père dans la boutique de tailleur, en 1913. Il fit alors sa première tentative d'écriture — un essai sur Nietzsche — mais, à cette époque, c'est mentalement qu'il composait une œuvre, au cours de ses allées et venues entre la boutique et le domicile des clients ; il déclarerait avoir écrit des ouvrages énormes dans sa tête, des volumes entiers consacrés à l'histoire de sa famille et à sa propre enfance, et, en effet, des traces de ces premières « œuvres » sont visibles dans certains livres rédigés plus tard, tels *Printemps noir* et *Tropique du Capricorne*.

En 1917, il se maria, et se trouva bientôt père d'un enfant. Confronté à ces responsabilités, il prit un emploi de directeur du personnel à la Western Union, la Cosmodemonic Telegraph Company de ses romans ultérieurs. Sa fonction était d'engager et de congédier les télégraphistes, et ce à un rythme inconcevable ; l'absurdité de ce travail le désespérait. Au cours d'un congé de trois semaines en 1922, il eut la conviction qu'il fallait en faire le manuscrit d'un vrai livre. Irrité par une réflexion de son employeur, trouvant dommage qu'il n'existât pas de conte d'Horatio Alger mettant en scène un télégraphiste, et inspiré par *Douze hommes* de Theodore Dreiser, qu'il admirait beaucoup, Miller produi-

8

sit un texte qu'il intitula *Clipped Wings*. Le titre faisait allusion aux ailes figurant sur le logo de la Western Union, et le livre était le portrait de douze messagers, douze anges dont les ailes avaient été rognées. Les fragments du manuscrit qui existent encore indiquent que le texte était un laborieux exercice de cynisme et de misanthropie ; Miller lui-même dira que c'était « raté du début à la fin... médiocre, mauvais, *épouvantable* ».

Il retourna à la Western Union, fataliste, morose, plus sceptique que jamais quant à son avenir d'écrivain, prisonnier d'un mariage sans amour. Puis, au hasard d'une soirée dans un dancing de Times Square, il rencontra June Mansfield Smith, la Mona de *Tropique du Cancer*, la Hildred de *Crazy Cock*, la Mara de *Crucifixion en rose*, la « Elle » mythique à qui *Tropique du Capricorne* est dédié. Mystérieuse, théâtrale, d'une beauté ensorcelante, June conquit immédiatement Henry. Il demeurait tétanisé devant ce torrent de paroles, ce tourbillon d'intrigues obscures et enchevêtrées, d'aventures avec d'autres hommes ; dans *Crazy Cock*, il la décrira comme un véritable « tissu de dissimulation ». June vivait dans le chaos, et Miller s'en nourrissait. Il écrivit plus tard, dans *Tropique du Capricorne* :

Je crus, en la rencontrant, saisir la vie à pleines mains... Au lieu de quoi, la vie m'échappa complètement. Je tendais les bras vers quelque chose à quoi me raccrocher — et ne trouvais rien. Mais dans cette tentative, dans cet effort pour saisir quelque chose, perdu comme je l'étais, je trouvai néanmoins une chose que je n'avais pas cherchée : *moi-même*.

Plus important encore, il comprit ce qu'il désirait vraiment :

« Non pas vivre — si l'on peut appeler ainsi ce que

font les autres —, mais m'exprimer. » Car June le poussait résolument à abandonner son emploi à la Western Union (ainsi que son épouse et leur enfant) pour écrire. Quelques mois à peine après leur mariage, en juin 1924, Henry entamait sa vie d'écrivain. C'est June qui les faisait vivre, grâce à divers emplois d'« hôtesse » dans des bars du Village et, de plus en plus, grâce à l'argent que lui rapportaient les intrigues compliquées qu'elle menait de front avec ses nombreux admirateurs — une activité qu'elle qualifiait de « pêche au trésor », mais qui semble en réalité avoir été une sorte d'élégante prostitution.

Miller affirma avoir été si bouleversé par l'idée de devenir un écrivain qu'il ne pouvait pas écrire. Avec une humilité rare chez lui, il commença de chercher des contrats dans des magazines. Il s'entraîna en rédigeant une série de petits portraits littéraires, de papiers traitant des chantiers navals de Brooklyn ou des champions de lutte, les soumettant avec fébrilité à la rédaction des magazines populaires — qui les refusait immanquablement. June et lui trouvèrent le moyen de faire imprimer ces ébauches sur du carton de couleur, dans le dessein de les vendre de porte en porte. Bientôt, June avait introduit ces « Mezzo-Tinto », ainsi qu'ils nommaient ces gravures littéraires, au sein de ces intrigues douteuses ; ses admirateurs achetaient des pages entières de poèmes en prose en échange de sa compagnie — ou, plus vraisemblablement, de ses faveurs. Elle parvint à en faire publier un dans un magazine intitulé *Pearson's*, mais il parut sous son nom, pas sous celui d'Henry. Ses textes devenaient la monnaie d'échange des transactions sexuelles de June, ce qui, comme on pouvait s'y attendre, n'avait aucun effet bénéfique sur l'épanouissement de l'écrivain. Sa production était plate, sans inspiration, surchargée de détails, d'une écriture baroque.

Le premier roman de Miller, écrit en 1928, était le reflet de cette situation ambiguë. June prit à son compte les efforts que fournissait Henry, et, dans le cadre d'une OPA lancée sur un vieil homme riche appelé « Pop », demanda à celui-ci de la secourir pendant qu'*elle* écrivait son roman. Il accepta de lui verser un subside hebdomadaire, à la condition qu'elle lui présente quelques pages, chaque semaine — pages écrites en fait par son mari. C'est dans ces conditions contraignantes que Miller produisit *Moloch, or This Gentile World*, portrait autobiographique de Dion Moloch, un employé de la Western Union marié à une épouse acariâtre et puritaine. Un autre « compromis », cependant, devait avoir une influence plus déterminante encore sur son travail.

*Moloch* fut écrit alors que Miller était convalescent, après la terrible dépression causée par la liaison de June avec Jean Kronski. En 1927, les deux femmes étaient parties à Paris et, en l'absence de June, Henry commença de décrire les événements qui avaient conduit à cette dépression, amassant peu à peu les notes qui allaient servir de base à *Crazy Cock*, et plus tard à *Tropique du Capricorne* et à *Crucifixion en rose*. Première tentative pour transposer ces expériences émotionnelles en œuvre d'art, *Crazy Cock* est sans aucun doute un document fascinant.

L'histoire que Miller avait à raconter tenait presque du cauchemar. Tandis qu'il s'évertuait à écrire dans leur appartement de Brooklyn Heights, June travaillait comme serveuse, ou hôtesse, dans divers bars de Greenwich Village. En tant que membre de ce microcosme qu'était la « bohème » du Village, June côtoyait toutes sortes de personnages étonnants, des millionnaires dépravés jusqu'aux vieilles androgynes qui règnent sur la vie nocturne. Une de ces créatures, qui devait devenir la Vanya de *Crazy Cock*, fit un jour son apparition dans le restaurant où travaillait June, fraîchement arrivée de la côte Ouest, à la recherche d'un travail. June la trouva d'une beauté extraordinaire : de longs cheveux noirs, des pommettes saillantes, des yeux violets et une démarche assurée. Elle dit qu'elle voulait être artiste, montrant à June une marionnette qu'elle appelait Comte Bruga, une chose criarde, hideuse, que June installa à la tête du lit conjugal. June rebaptisa la jeune femme Jean Kronski, lui inventant des antécédents romanesques, dont une ascendance remontant aux Romanov.

June et Jean furent bientôt inséparables, Jean s'installant à Brooklyn pour se rapprocher de son amie. Henry s'aperçut vite que Jean était une rivale sérieuse dans le cœur de June. Il n'eut bientôt plus qu'une pensée : déterminer la nature exacte de leurs relations. Il était certain que Jean était lesbienne. Mais June ? Depuis toujours préoccupé par les questions d'identité sexuelle, Miller voyait soudain le sentiment de sa propre virilité, si chèrement acquis, battu en brèche par la violente attirance de June envers une autre femme. A cette époque, on peut lire dans ses notes préliminaires à *Crazy Cock* : « Cette fois, je commence vraiment à devenir cinglé. »

Ce drame triangulaire passa sans tarder à la vitesse supérieure. Jean et les Miller s'installèrent dans un appartement en demi sous-sol dans Henry Street, à Brooklyn, à deux pas d'une ruelle baptisée Passage de l'Amour. Ils recouvrirent les murs de fresques étranges et peignirent le plafond en violet. Dans *Crazy Cock*, Miller déclare que « l'air était bleu d'explications » : récits par trop détaillés, aveux forcés et propos fallacieux s'accumulaient sur la « planche à tripes » de l'appartement. Comme nous l'apprenons dans *Crazy Cock*, June commença de s'interroger sur les penchants sexuels d'Henry, une manie qui rendait fou furieux un époux de plus en plus déstabilisé. Par nature, tous trois avaient un équilibre fragile ; Jean avait déjà fait un séjour en asile psychiatrique (comme Vanya dans *Crazy Cock*), June était, presque avec certitude, à la limite de la psychose, et Miller commençait à se demander si la situation dans laquelle il se trouvait n'était pas symptomatique de cette même folie qui avait déjà conduit à l'asile un membre de sa famille. June et Jean se droguaient toutes deux, et, ainsi que le nota Miller, dans l'appartement régnait l'atmosphère de ces arrière-salles où circule la coke. Souvent, la nuit, il peignait la chevelure noire de Jean et lui offrait une séance de pédicure ; dans l'instant suivant il pouvait planter une lame de couteau dans la porte de sa chambre. Une nuit, il alla jusqu'à commettre une vague tentative de suicide ; June ne se donna même pas la peine de lire le mot qu'il lui avait laissé.

C'était là l'environnement que Miller se proposait de peindre dans *Crazy Cock*. Quand le roman s'achève, Hildred, Vanya et Tony Bring sont toujours prisonniers de leur triangle mortel, dans l'appartement du sous-sol. Cette période de la vie de Miller prit fin un soir d'avril 1927, quand il trouva l'appartement vide et un mot disant que les deux femmes avaient pris le bateau pour Paris. Durant leur absence, il accumula un grand nombre de notes qui devaient composer, sous forme de fiction, le récit de sa déshumanisation entre les mains de Jean et de June. Et, peu à peu, il commença de se remettre. Deux mois plus tard, June revenait, sans Jean.

Une année devait s'écouler — durant laquelle il effectua un voyage en Europe, avec June — avant que Miller ne se penche à nouveau sur les événements de l'hiver 1926-1927, et la rédaction de *Crazy Cock*. A présent,

June se proclamait prête à tous les sacrifices, quels qu'ils fussent, pour lui permettre de réussir en tant qu'écrivain. Elle échafauda le projet d'envoyer Henry à Paris où, elle l'espérait, il écrirait un roman qui ferait de lui un homme célèbre, et d'elle une des muses éternelles. C'est dans ces conditions qu'il produisit trois versions du roman, tout d'abord intitulé *Lovely Lesbians*. Il devait réécrire le manuscrit plusieurs fois durant les quatre années qui suivirent, épurant le texte, modifiant la fin. Le titre devint *Crazy Cock*, faisant ainsi référence non plus aux deux femmes, mais à Tony Bring. Il avait compris une chose : les vicissitudes de sa propre vie, de son unique vie, et non de celles de ses partenaires, composaient son meilleur matériau ; c'était là une découverte d'importance car le « roman d'aventures biographique » allait devenir le genre favori de Miller, le sujet étant toujours tiré de sa propre expérience.

En février 1930, Miller arriva à Paris, laissant à June un exemplaire de *Lovely Lesbians*, à charge pour elle de le proposer aux éditeurs new-yorkais. De temps à autre, elle faisait savoir que tel ou tel éditeur était intéressé, mais ces informations étaient aussi peu fiables que la plupart de ses inventions habituelles. Peu après son arrivée, Miller avait commencé de travailler à ce qu'il appelait son « livre de Paris », le récit ample et exubérant de ses péripéties de sans-le-sou qui deviendrait *Tropique du Cancer*. Alors même que son « livre de Paris » était accepté par Jack Kahane d'Obelisk Press, Miller continuait à essayer de placer *Crazy Cock*, l'envoyant à Samuel Putnam, chez Covici-Friede.

Au moment de la publication de *Tropique du Cancer*, en 1934, Miller avait abandonné son second manuscrit. Tous les exemplaires de *Crazy Cock* étaient à présent entre les mains de June ; il lui avait demandé de les apporter, lors de son dernier séjour à Paris, en 1932, mais elle les avait oubliés. A cette époque, Miller s'était donné pour tâche de transformer les éléments de sa vie avec June pour en faire son spectaculaire *Tropique du Capricorne*. Ce n'est qu'en 1942, en entreprenant la rédaction de *Crucifixion en rose*, qu'il revint à l'aventure du ménage à trois de Henry Street. Retourné aux États-Unis en 1940, il finit par s'installer dans un coin retranché de Californie, à Big Sur, où il allait vivre pauvrement, en écrivain maudit, le plus célèbre de son pays.

A cette époque, *Crazy Cock* semblait avoir disparu de la circulation, confié aux soins particulièrement négligents et erratiques de June. Quelque temps après son retour de Paris, elle épousa Stratford Corbett, employé à la compagnie d'assurances New York Life. (Par une étrange coïncidence, ils effectuèrent leur voyage de noces à Carmel, ignorant la présence toute proche d'Henry à Big Sur.) Pilote de bombardier durant la Seconde Guerre mondiale, Corbett demeura dans l'armée après la guerre, et June le suivit dans les bases militaires de Floride, puis du Texas. C'est là que leur mariage prit fin, et elle rentra à New York. En 1947, elle écrivit à Henry, pour la première fois depuis quinze ans. Les nouvelles n'étaient guère brillantes. Elle était en très mauvaise santé ; elle souffrait de colite ulcéreuse, et, à l'évidence, son équilibre mental s'était détérioré. Durant les années cinquante, elle s'adressa à lui régulièrement, le remerciant pour les petites sommes d'argent qu'il parvenait à lui envoyer ; cette correspondance — conservée dans les archives de Miller, à l'UCLA — ne peut être lue sans un certain malaise. Elle travailla durant quelques années au service d'aide sociale de la ville, bénévolement, espérant décrocher un poste d'employée municipale titulaire. Elle vivait dans une quasi-indigence, minée par ses problèmes de

15

santé ; à plusieurs reprises, elle affirma souffrir d'une grave sous-alimentation. Cependant, elle s'intéressait vivement aux enfants d'Henry, et entretint des relations très amicales avec Lepska, puis Eve, les épouses de Miller durant cette période.

En 1956, il apprit qu'un de ses frères l'avait fait enfermer au Pilgrim State Hospital, après un incident au cours duquel un poste de télévision était passé par la fenêtre de sa chambre meublée de l'Upper West Side. Miller fit appel à un couple d'amis de New York, James et Annette Baxter, pour qu'ils aillent régulièrement la voir, après sa sortie, et s'occupent de sa situation matérielle. Miller lui-même, s'arrêtant pour la voir, de retour d'un séjour en Europe, quelques années plus tard, la trouva horriblement diminuée, à demi impotente, suite à une chute au cours d'un électrochoc, au Pilgrim State. Mais il devait être frappé par son courage. Il était persuadé qu'elle n'avait survécu que par la force de sa volonté.

Personne ne songeait à demander à June ce qu'étaient devenus les manuscrits des premiers romans de Miller, ceux qu'il avait écrits durant leur mariage. Deux malles pleines d'effets personnels l'avaient accompagnée durant ses pérégrinations, mais elle prétendait que le contenu de l'une d'entre elles avait été totalement perdu après une inondation. Annette Baxter, spécialiste de Miller — elle avait publié une thèse de doctorat traitant de son œuvre —, parvint à convaincre June que tout manuscrit encore en sa possession susciterait un immense intérêt. En décembre 1960, les Baxter, enthousiastes, annonçaient à Miller qu'ils avaient retrouvé les manuscrits de « Tony Bring ». June cependant refusait de les laisser partir. Les Baxter envisageaient la possibilité d'acheter une photocopieuse, matériel nouvellement introduit sur le marché, quand June capitula, leur remettant également le manuscrit de *Moloch*. Les Baxter les firent parvenir à Miller en grande pompe.

Mais la situation de Miller avait considérablement évolué. Barney Rosset, de Grove Press, avait lancé un défi triomphal à l'anathème qui pesait sur son œuvre, avec la publication de *Tropique du Cancer*, en 1961, et Miller était devenu une célébrité internationale. Il avait espéré s'installer en Europe ; quand ce projet eut tourné court, il revint vivre à Pacific Palisades, un faubourg de Los Angeles. Rosset destinait à la publication un ensemble de textes de Miller, jusqu'alors interdits, et celui-ci préféra ne pas lui communiquer ses premières tentatives d'écriture, qui semblaient à présent sans importance. Finalement, il envoya les manuscrits au département des Collections particulières de l'UCLA, où ils devaient demeurer, non répertoriés, pendant des années.

*Crazy Cock*, pour une œuvre de jeunesse, est un roman remarquablement cohérent, ne nécessitant que très peu de remaniements. Miller n'a pas encore maîtrisé toutes les règles de la narration, de sorte qu'il est par exemple difficile de comprendre ce qui arrive dans les vingt premières pages, si l'on ignore qu'il s'agit du voyage de Vanya vers la côte Est et de son arrivée à Greenwich Village, et de la présentation de Tony Bring, aspirant-écrivain, et de son épouse Hildred. Les nombreux brouillons écrits auparavant nuisent à la cohérence du récit ; les verbes, par exemple, glissent parfois d'un temps à l'autre sans raison. Mais la narration demeure beaucoup plus linéaire que dans les œuvres ultérieures de Miller, bien qu'elle soit ponctuée de ces envolées verbales, confinant souvent au surréalisme, qui caractérisent les deux *Tropique*, ainsi que *Printemps noir*.

Un aspect de *Crazy Cock* exige cependant un commentaire : l'antisémitisme marqué de l'auteur. Des mots comme « Youpin », des allusions à l'esprit « âpre,

17

vif et retors » des Juifs, ne sont pas ce que l'on attend d'un homme profondément concerné par l'égalité et les droits de la personne. En réalité, au sortir de l'adolescence, Miller faisait preuve d'un antisémitisme violent, et ciblé. Il gardait de son enfance dans le quartier de Williamsburg, à Brooklyn, un souvenir idyllique. Avec l'ouverture du pont de Williamsburg et l'arrivée massive d'immigrés juifs et italiens, le quartier changea de physionomie. Miller en vint à haïr particulièrement les Juifs d'Europe de l'Est, et ce qui, chez un homme plus modéré, se fût sans doute transformé en racisme larvé, nourri de rancune, chez Miller devint presque une obsession. Comme souvent, cette idée fixe repose sur une profonde ambivalence, car Miller était très attiré par certains éléments constitutifs du judaïsme, se demandant même parfois s'il n'était pas juif luimême. Après la Seconde Guerre mondiale, Miller devait quelquefois parler des Juifs avec un respect presque religieux, et toujours avec admiration. Mais dans ses premiers livres — les *Tropique* et les deux romans précédents —, l'antisémitisme de l'auteur produit un choc infiniment moins agréable ou significatif que ceux auxquels il nous a habitués.

Avec ses portraits de « pédales » du Village, ses scènes de viol évoquées d'une plume acérée, ses considérations cliniques sur la perversité, ses minutieuses descriptions des hémorroïdes de Tony Bring et ses allusions déconcertantes aux Juifs, *Crazy Cock* est un roman étrange, dérangeant ; c'est aussi un témoignage de la souffrance de Miller, un livre profondément émouvant. Comme ses plus grandes œuvres, il oscille de manière subtile entre la soumission et la rébellion, entre la jubilation et le dégoût ; il constitue un élément majeur dans l'œuvre d'un des hommes les plus complexes du XXe siècle.

Mary Dearborn

## AVERTISSEMENT

Mes excuses à Michael Frankel.

## AVANT-PROPOS

Adieu au roman, à l'équilibre, à la santé. Bonjour,
les anges !

*PREMIÈRE PARTIE*

# 1

Quelque part en Amérique, un coin perdu, désert. De vastes étendues de boue où nulle fleur ne pousse, nulle vie. Des craquelures qui rayonnent en tous sens et se perdent dans l'immensité.

Debout sur la plate-forme, avec ses lourdes bottes de cuir de vache, un épais ceinturon clouté de cuivre autour de la taille, elle tire nerveusement sur une cigarette. Sa longue chevelure noire tombe lourdement sur ses épaules. Un coup de sifflet, et les roues commencent leur rotation bien huilée, inéluctable. Le sol glisse sous elle comme un ruban éternellement déroulé.

Sous elle, une terre inculte, grise, suffoquant sous la poussière et les broussailles. L'immensité, l'immensité, une étendue infinie, sans un être humain en vue. Un Eldorado, avec moins d'un habitant au kilomètre carré. Le vent souffle fort depuis les sommets enneigés qui soutiennent le ciel. Au crépuscule, la température tombe comme une ancre. Ici et là, des tertres isolés, des plateaux rocailleux, parsemés de buissons de créosote. La terre, sereine sous le vent qui gémit.

« Telle que je suis, telle que je demeurerai, j'ai le sentiment d'être une force de création et de dissolution tout à la fois, une richesse réelle, et d'avoir un droit, une place, une mission à remplir parmi les hommes. » Elle glissa languissamment sur son siège. La sensa-

25

tion d'un mouvement, plus qu'un mouvement en soi. Son corps apaisé, détendu, s'enfonça plus profondément encore au creux de la banquette. *Telle que je suis...* Les mots semblaient émerger de l'océan des caractères imprimés, pour se mettre à nager devant son regard brouillé, dans une brume incolore. Y avait-il quelque chose, derrière l'écran du langage qui nous est donné à voir... ? Elle ne parvenait pas à exprimer, pas même pour elle-même, la signification de ce flot qui en cet instant illuminait les recoins cachés de son être.

Au bout d'un moment, les mots s'effacèrent d'euxmêmes dans la profondeur liquide de ses yeux. Ils disparurent, comme l'ectoplasme qui, dit-on, émane du corps des possédés.

« Qui suis-je ? murmura-t-elle. *Que* suis-je ? »

Et tout à coup, elle se souvint qu'elle laissait un univers derrière elle. Le livre lui glissa des mains. Elle se retrouvait dans le cimetière, derrière la ferme, elle enlaçait les arbres ; elle chevauchait un étalon blanc, nue, galopant vers le lac glacé ; partout, des vallées gorgées de soleil, la terre féconde, gémissant sous les fruits et les fleurs.

C'est après que cette femme de Kupranowa eut fait son apparition qu'elle avait décidé de s'appeler Vanya. Auparavant, elle était Myriam. Une Myriam était une personne prévenante, une créature effacée.

Cette femme de Kupranowa était sculpteur. Ce qui n'excluait pas qu'elle eût possédé d'autres talents — bien que moins facilement déterminables. La collision avec une étoile d'une telle magnitude précipita Vanya hors de son orbite frivole ; alors qu'elle avait vécu dans un état de nébulosité, dans la queue d'une comète, de fait elle devint un soleil, dont la propre chromosphère flambait d'une énergie inépuisable. Une ardeur voluptueuse inonda ses œuvres. Armée de bistre et de sang caillé, de vert-de-gris et de jaune bilieux, elle se lança à la poursuite des rythmes et des formes qui consumaient son imagination. Des nus orangés, de taille colossale, les seins griffés, dégouttant de sanie et de sang ; des odalisques emmaillotées de bandelettes, telles des momies, et des apôtres dont le Christ lui-même n'avait jamais vu au grand jour les blessures, les gangrènes, le membre gonflé de désir. Il y avait là saint Sossima et saint Savatyi, Jean le Guerrier et Jean le Précurseur. Elle entourait ses madones de feuilles de lotus, de mérous dorés et de farfadets, sur un vaste fond de laitance originelle. S'inspirant de Kali et de Tatloo, elle inventait des déesses vomissant des reptiles par leurs crânes grimaçants, levant vers le ciel leurs yeux de topaze, les lèvres gonflées de blasphèmes.

C'était une vie singulière qu'elle menait avec la femme de Kupranowa. Droguées par le rituel de la messe, elles tibubaient jusqu'aux abattoirs, avant de se replonger dans la vie des papes ; elles caressaient des doigts la peau des attardés mentaux et celle des éléphants, photographiaient des bijoux et des fleurs artificielles, et des coolies nus jusqu'à la taille ; elles se penchaient avec ardeur sur les monstruosités pathologiques du royaume des insectes, et sur les monstres de Rome, plus insanes encore. La nuit, elles rêvaient des idoles enterrées dans la moraine de Campeche, et de taureaux chargeant depuis les barrières de pieux dressés pour venir expirer sous des chapeaux de paille.

Son pouls s'accélérait, comme la cohorte tumultueuse de ses pensées précipitait dans ses veines le flux d'un sang avivé, ardent. Elle regarda le livre sur ses genoux, et ses yeux rencontrèrent de nouveau ces mots :

« Telle que je suis, et telle que je demeurerai, j'ai le sentiment d'être une force de création et de dissolu-

27

tion tout à la fois, une richesse réelle, et d'avoir un droit, une place, une mission à remplir parmi les hommes. »

Brusquement, sans prévenir, une dynamo se déclencha en elle, s'emballa. Chaque particule de son être en fusion frémissait d'exaltation. Des mots diaprés l'enivraient d'un désir venimeux... Elle sentait qu'en toute chose, sublime ou ignoble, résidait une force cachée, une force vitale, tumultueuse, un sens et une beauté dont l'art, aussi noble fût-il, n'était qu'un pâle reflet.

« Je veux vivre, balbutia-t-elle, éperdue. Je veux vivre ! »

## 2

Tony Bring était assis, seul, dans une chambre meublée donnant sur le port. Il était minuit. Cela faisait donc deux heures, ou plus, qu'il relisait le même chapitre. C'était là un texte très hermétique, une orgie de connaissances enrobée d'hermine. Il se sentait sombrer de plus en plus profondément, sans jamais toucher le fond.

Quelques jours à peine s'étaient écoulés depuis que son ami lui avait mis entre les mains cette morphologie de l'histoire, ainsi que cela s'appelait. Et à présent, songeait-il, le corps de son ami se décomposait tranquillement sous un monticule noyé de roses.

Il se sentait accablé. Non seulement l'âme de son ami gisait, embaumée entre les pages du livre, non seulement le sens du texte le dépassait, mais il ne pouvait plus supporter cette solitude qui l'envahissait tandis qu'il demeurait là, assis, attendant de reconnaître son pas, à elle.

Cela faisait des semaines qu'il vivait dans l'enfer de cette attente, non chaque soir certes, mais de temps à autre, et ce avec une fréquence qui lui mettait les nerfs à vif. Tout en bas, là où le port s'étalait comme une large flaque ombreuse, c'était la paix. La surface polie de l'eau, rejoignant le linceul du ciel, jetait un écran de silence liquide sur la terre. Comme il écartait le rideau pour percer la nuit du regard, il se sentit la proie d'une terreur inexplicable. Il lui apparaissait brusquement, comme pour la première fois, qu'il était absolument seul au monde. « Nous sommes seuls, tous », marmonna-t-il, mais, tout en prononçant ces mots, il sentait bien, malgré lui, qu'il était plus seul que qui que ce fût au monde.

Au moins (c'était là une réflexion qu'il se faisait constamment), il n'avait aucun sujet d'inquiétude précis. Mais cela signifiait-il qu'il n'en existât pas ? Plus il s'efforçait de se rassurer, plus il était persuadé qu'un malheur affreux se tenait tapi quelque part, dont la réalité et l'imminence s'exprimaient au travers de ces pressentiments ténus, voilés. L'idée que cette épreuve pût être limitée dans le temps ne fournissait qu'une médiocre consolation. La question était de savoir si ce n'étaient pas là les prémices d'un isolement total et définitif. Les moments d'angoisse que l'on pouvait, au début, estimer à une heure ou deux, s'étendaient à présent sur des périodes réellement impossibles à mesurer. Quel système de calcul existait, qui permît d'estimer la somme d'angoisse pure accumulée entre une heure et demie et cinq heures d'attente ? Que valait le temps, celui qu'égrènent les deux aiguilles de l'horloge, dans de tels cas de figure ?

Mais il y avait bien des explications… ? Oui, il y en avait. Les explications étaient innombrables. Parfois, l'air en était bleu. Pourtant, cela n'expliquait rien. Le fait même qu'il existât des explications demandait à être expliqué.

Sa pensée joua un moment avec les complexités de cette vie que l'on mène dans les grandes cités — les cités *de l'automne* —, là où règnent un ordre du désordre, une justice insane, une froide désunion, qui permettent à un individu d'être tranquillement assis devant sa cheminée, tandis qu'à un jet de pierre un autre homme est ignoblement assassiné. Une ville, se disait-il, est semblable à un univers, chaque pâté de maisons est une constellation tournoyante, chaque foyer une comète, ou un astre mort. La vie chaude et grégaire, la fumée, les prières, les clameurs, les processions, tout ce fameux spectacle de l'existence gravitait sur l'axe de la terreur. Si un homme pouvait aimer son prochain, il avait une chance de se respecter soi-même ; s'il avait la foi, il pouvait espérer atteindre la sérénité ; mais comment, comment serait-ce possible, dans un univers de brique, dans cet asile où étaient parqués les égoïstes, dans cette atmosphère de tumulte, de conflit, de terreur, de violence ? Pour l'homme des grandes cités de l'automne, ne demeurait que l'image de la grande prostituée, mère des putains et autres abominations de la terre. *Elles détesteront la prostituée, la rendront solitaire et nue. Elles mangeront ses chairs et la brûleront au feu.* C'était la révélation destinée à ceux dont l'âme est morte. Le dernier chapitre... Le Saint Livre.

Il était tellement perdu dans ses songes que, lorsqu'il tourna soudain la tête, il faillit avoir une attaque en la voyant debout sur le seuil.

Elle était nue sous sa blouse violette. Il la tint à bout de bras et l'observa longuement, attentivement.

— Pourquoi me regardes-tu comme ça ? demanda-t-elle d'une voix entrecoupée, encore haletante.

— Je me disais qu'il y a une telle différence...

— Tu ne vas pas recommencer ?

— Non, dit-il calmement. Je ne vais pas encore revenir là-dessus, mais... Bon, franchement, Hildred, tu as quelquefois un air effrayant, littéralement effrayant. Tu peux avoir l'air pire qu'une pute, quand tu t'en donnes la peine. (Il n'avait pas le courage de demander carrément : « Où étais-tu ? », ou « Qu'as-tu fait durant tout ce temps ? »)

Elle se dirigea vers la salle de bains, pour réapparaître presque immédiatement, munie d'une petite bouteille d'huile d'olive et d'une serviette-éponge. Ayant versé quelques gouttes d'huile au creux de sa main, elle entreprit aussitôt de s'en barbouiller le visage. La serviette moelleuse, spongieuse, absorba la crasse et la graisse incrustées dans ses pores. Elle ressemblait maintenant au chiffon sur lequel un peintre essuie ses pinceaux.

— Tu ne t'es pas inquiété pour moi ?

— Bien sûr que si.

— *Bien sûr !* Quelle réponse ! Et je suis pas plus tôt arrivée que tu me dis que j'ai l'air d'une putain... pire qu'une putain.

— Tu sais bien que je ne t'ai pas traitée de putain.

— Cela revient au même. Tu aimes bien me traiter de tous les noms. Tu n'es heureux que quand tu me critiques.

— Oh, on ne va pas commencer avec ça, dit-il d'un ton las. (Il avait envie de hurler.) La barbe, avec ces histoires ! Est-ce que tu m'aimes, c'est tout ce que je veux savoir.

*Est-ce que tu m'aimes ?*

Mais avant même que les mots l'eussent atteinte, elle le berçait de sa voix profonde, vibrante. Elle avait la parole facile... trop facile. Au rythme de son timbre riche et sombre, de ce flot qui le pénétrait, vivant comme le sang chaud qui battait dans ses veines, s'éveillaient en lui des sensations qui se confondaient avec ses paroles, brouillant le sens des mots. Sombrement embrassées, multiples et obscures, ses pensées pénétrèrent celles de Hildred et demeurèrent là, suspendues au-delà des mots, en un voile que le plus léger souffle pouvait déchirer.

# 3

Il était là, assis, cet infâme petit crétin, avec ses cheveux dorés et ses ongles chinois, taillés en pointe. Il était presque en vitrine, le dos tourné à la rue. Étonnant à quel point c'était le sosie de saint Jean-Baptiste. Lorsqu'il se levait et se présentait en pied, il se transformait brusquement en mastiff, cette race de chiens intelligents qui apprennent à marcher debout sur leurs pattes de derrière pour attraper quelque morceau de viande crue. Il avait son habituelle expression placide. Soit il venait de faire un bon repas, soit il allait en faire un. Une passivité tout orientale. Un lac de verre qui se briserait à la première ride.

Les larges épaules de Vanya, sa stature imposante, le dissimulaient presque aux regards. Il faisait preuve d'un empressement comique à voir. Lui prenant la main, il l'humectait de ses lèvres, tel un chiot léchant la main de sa maîtresse.

Un relent de nourriture rance envahissait tout.

— Mange, Vanya, mange ! implorait-il, d'une voix obséquieuse. Mange tout ce que tu veux ! Mange à en éclater !

Il faisait montre envers Hildred d'une indifférence polie ou, s'il était contraint de s'adresser à elle, il ornait ses phrases d'une affectation si hypocrite qu'elle lui donnait envie de l'étrangler. Sa façon de retrousser la lèvre supérieure et de sourire à demi, avec ses dents jaunes, était d'une flagornerie particulièrement répugnante.

— Vous êtes bien charmante, ce soir, disait-il, *extrêmement* charmante, et il lui tournait le dos avant même d'avoir achevé sa phrase.

Il se produisait une vague agitation, due à la présence d'un poète qui tenait absolument à fourrer des spaghettis dans les poches de son gilet. Au dernier stade de l'ébriété, il s'efforçait de distraire deux femmes accrochées à lui comme des rapaces. Sous leur manteau de fourrure, qu'il écartait de temps en temps, elles étaient nues. Les coins de ses yeux injectés de sang étaient pleins d'une substance blanchâtre ; ses paupières, dépouillées de leurs cils, faisaient penser à deux chewing-gums longuement mâchés. Quand il souriait, on voyait apparaître entre ses lèvres épaisses, informes, quelques chicots calcinés, et le bout d'une langue humide. Il riait sans cesse, d'un rire qui évoquait le gargouillis d'un égout.

Les morues à l'oreille desquelles il distillait ces finesses bégayantes le considéraient avec une incompréhension béate. En ce qui concernait l'autre sexe, une seule chose comptait à ses yeux : que ses partenaires possédassent les organes essentiels à son plaisir. Cela étant, peu importait qu'elles fussent noires ou blanches, bigles ou dures d'oreille, malades ou idiotes. Quant à ce petit imbécile de Duffer, on ne pouvait rien dire avant d'avoir regardé sous la ceinture, ce qui d'ailleurs ne faisait que compliquer le problème.

— Quel être ignoble et répugnant ! explosa Hildred, quand elles eurent quitté le restaurant. Je ne sais pas comment vous faites pour le supporter.

— Oh, en fait, il n'est pas si mauvais, répondit Vanya. Je ne vois pas pourquoi vous devriez le mépriser, lui plus qu'un autre.

— C'est plus fort que moi. Cela m'ennuie de vous voir vous prêter à son jeu.

— Mais je vous l'ai dit, je suis fauchée... fauchée à mort. Sans lui, sans ce petit imbécile, je ne sais pas où j'en serais à présent.

Tout en parlant, elles étaient arrivées devant la porte de Vanya.

« Pourquoi reste-t-elle plantée là ? se demanda Hildred. Pourquoi ne me propose-t-elle pas de monter ? »

Comme si elle devinait ses pensées, Vanya bougea un peu, étrangement mal à l'aise et, avec un embarras croissant, fit quelques tentatives maladroites pour prolonger la conversation. Une chose lui trottait dans la tête, qu'elle avait tenté de formuler tout au long de la soirée. Plus d'une fois, elle avait essayé d'aborder le sujet de biais, mais soit Hildred était obtuse, soit elle ne se souciait pas le moins du monde de lui venir en aide.

— Aimeriez-vous venir à Paris avec moi ? demanda Vanya tout à trac.

— Rien au monde ne me plairait davantage. Mais...

— Écoutez, vous ne trouvez pas étrange que je vous aie parlé comme je l'ai fait ce soir ?

— J'ai l'impression de vous avoir toujours connue, répliqua Hildred. C'est là que vous habitez ? ajouta-t-elle d'un ton tranquille.

— Pour l'instant, répondit Vanya avec un hochement de tête. Elles demeurèrent un moment silencieuses.

— Vanya, dit brusquement Hildred d'une voix basse, vibrante, Vanya, je veux que tu me laisses t'aider. Il le faut ! Tu ne peux pas continuer ainsi.

Vanya saisit la main de Hildred, la serra dans la sienne. Elles restaient immobiles, les yeux dans les yeux. Pendant une minute d'horloge elles restèrent

35

ainsi, aucune des deux n'osant briser le silence. Enfin, Vanya parla, d'une voix calme.

— Oui, je te laisserai m'aider... avec joie... Mais comment ? Hildred hésita.

— Ça, dit-elle, je n'en sais rien moi-même. (Les mots tombaient lentement de ses lèvres, comme des flocons de neige.) Considère-moi simplement comme ton amie, conclut-elle d'un ton pénétré.

Que ce fût l'effet de ces quelques mots ou une volonté déterminée de mener à bien coûte que coûte un projet déjà élaboré, Vanya se détourna brusquement et gravit le perron d'un bond. Se retournant vers sa compagne, son amie, légèrement interloquée au bas des marches, elle la supplia d'attendre.

— Quelques minutes à peine, l'implora-t-elle. Il y a quelque chose que je veux te donner.

A l'origine, c'étaient des sentiers à vaches ; il n'y avait que cela. C'était ça, le Village. Aujourd'hui, il se vautre, il rampe comme une chienne malade, épuisée par une crise de delirium tremens. Cafardeux. Poisseux. Accablant. Des touristes qui se traînent vaille que vaille. Des poètes qui n'ont rien écrit depuis 1917. Des pirates juifs dont les sabres d'abordage n'intimident personne. Des insomnies. Des rêves d'amour bancals. Un viol, dans une cabine téléphonique. Des pervers de la brigade des mœurs, étreignant les réverbères. Des Cosaques aux pieds plats. Une vie de bohème soutenue par des poutrelles métalliques. Des hamacs suspendus au troisième étage.

Chaque soir, réglé comme une horloge, un car de touristes s'arrêtait devant le Caravan pour décharger sa cargaison. Une boîte délicieusement baroque, avec une vraie ambiance, ou ce qu'il en restait. N'était-ce pas là que O'Henry avait pondu ses chefs-d'œuvre ? Et Valentino, n'était-il pas venu ici, ainsi que Bobby Walthour ? Qui, parmi ceux qui s'étaient fait un nom, n'était passé ici, un jour ou l'autre ? Tenez, on affirmait que Mary Garden elle-même avait honoré de sa présence majestueuse et froufroutante ce *Liebestod* de suif et de Sienne brûlée. Et Frank Harris — avec sa moustache luxuriante et ses allures de Saint-Père —, n'était-ce pas dans cette même pénombre de caverne qu'il s'asseyait pour recevoir les fastidieux hommages de ses admirateurs ? C'était là aussi que O'Neill avait bercé ses songes lubriques, et que Dreiser se laissait tomber sur un siège, sévère, chagrin, étrillant l'humanité de son regard féroce, méditatif, le regard de la mélancolie, le regard du génie, tous les regards qu'il vous plaira de lui prêter.

L'heure du déjeuner était largement passée lorsque Tony Bring entra au Caravan. Une grande rousse allait de table en table, soufflant les bougies. Le son du piano grelottait dans un coin. Une vie souterraine, se dit-il, scrutant les visages abrutis où l'ombre accusait les cruels stigmates du vice et de l'oisiveté. D'une certaine manière, ça n'était pas le mal en soi qui l'oppressait, mais son aspect lamentable, cette faillite de l'existence. La fumée des cigarettes faisait une traînée de voiles bleus, planant comme de fragiles accords musicaux au-dessus des silhouettes en ombre chinoise. Ici et là, une bougie rendait l'âme en crépitant, emplissant la salle d'une odeur âcre, suffocante.

Au fond de la pénombre, se tenait un être massif, marmoréen, pianotant nerveusement de ses doigts épais. De loin, le visage n'était pas désagréable ; de près, il avait un aspect irrégulier, mâché, comme si le boucher l'avait débité à peine une heure auparavant. C'était là le visage d'un gladiateur, épuisé, effrité, telle une statue exposée à la pluie et au gel depuis des siècles.

*Les aplatir comme des mouches...* C'était cela, le genre de Earl Biggers. Et plus ils étaient costauds, plus cela lui plaisait. Ils pouvaient bien faire les malins. Quand il prenait les choses en main... terminé. En route pour l'hôpital, tous frais payés. Mais à voir l'expression maussade qu'il arborait en cet instant, on pouvait se douter que c'est pour lui que les choses avaient mal tourné la veille au soir. Il était vexé comme un pou. Machinalement, il passa la main sur ses oreilles, dont l'une affectait la forme d'un bouton floral. Un sourire amer parut sur son visage. « Encore une année comme cela, se dit-il, et je suis mûr pour le zoo. »

La rousse arriva près de lui, le frôlant. Il l'attrapa par le bras.

— Écoute, assez rigolé, dit-il. Dis-moi où a disparu l'autre salope, celle avec les jambes nues.

— Ne sois pas si brutal, répondit la fille. Je t'ai dit qu'elle revenait tout de suite.

— Elle est allée faire un tour, j'imagine... *Avec son amie.*

— Ouais, *avec son amie.*

— Écoute, si c'est de la virilité qu'elle veut, pourquoi pas moi ? Regarde-moi ça ! Je suis un homme, tu ne vois pas ?

Il gonfla la poitrine.

Tony Bring, perdu dans ses réflexions, ne prêtait guère attention à la conversation, mais d'autres personnes la suivaient avec amusement. Ses pensées s'écoulaient doucement, s'éparpillaient dans l'ombre, sans forme ni contenu.

Comme il demeurait là, rêvassant, Hildred entra d'un pas vif. Elle était escortée par une créature grande et silencieuse, dont les cheveux d'un noir de corbeau, partagés par une raie au milieu, tombaient sur ses épaules en une lourde vague. Elle évoquait quelque esquisse en marbre encore solidaire de la masse.

— Hé, là-bas ! fit une voix retentissante.

Hildred se retourna instantanément. La clarté blafarde de la rue baignait son visage d'une lueur sans éclat ; ses lèvres esquissèrent un frémissement d'impatience, subtil, à fleur de peau, un tremblement à peine perceptible. Comme elle s'avançait vers lui, souriante, éthérée, il remarqua ce halo qui la nimbait, la transfigurait. C'était là une vision si fascinante que, lorsqu'une silhouette se dressa, massive, simiesque, s'interposant entre eux, il lui sembla que ce n'était qu'un nuage passager, obscurcissant momentanément sa vue. Il resta un instant suspendu dans cet état d'inquiétude qui précède la désillusion, puis, aussi incroyable, aussi incompréhensible que cela pût paraître, Hildred s'assit, s'assit à côté du gorille, et se mit à lui parler.

« Simple politesse », se rassura-t-il, ne la quittant pas des yeux tandis que, penchée en avant, le visage levé, les yeux brillants, elle riait, révélant ses dents d'un blanc laiteux, si douces, si régulières. La main qu'elle avait tendue pour saluer le singe demeurait prisonnière de la patte énorme, velue, qui s'était refermée sur elle, comme prise dans un étau. Puis il s'aperçut qu'elle tentait de se libérer, mais l'autre la retenait toujours. Soudain, de sa main libre, elle le frappa. Instinctivement, il lâcha prise. Le sang lui monta brusquement au visage.

A présent, se dit-il, elle va sûrement se lever et venir me trouver. En même temps, il se demandait jusqu'à quel point ce genre de scène était fréquente. Cette gifle, était-ce vraiment un geste de représailles ? Il attendait. Il attendait un quelconque signe de reconnaissance. Mais son regard ne se posa pas une seule fois sur lui. Pas la moindre tentative pour lui faire comprendre qu'elle le savait là. « Bon dieu », murmura-t-il, se peut-il qu'elle ne m'ait pas vu ? » C'était impossible. Enfin, elle avait regardé droit vers lui, elle était venue droit sur lui, avant que ce gros singe ne se lève et ne l'intercepte. Et la manière dont elle l'avait regardé ! Ce regard ! Tout à coup, un noir soupçon, un doute honteux s'insinua en lui. Non, c'était par trop absurde. Il le refoula immédiatement. Elle l'avait vu, très bien, de cela il était certain. Il y avait quelque raison profonde à cette comédie, quelque motif dont l'explication lui serait fournie plus tard. Il ne comprenait que trop bien ces tricheries auxquelles elle était condamnée. Quelles comédies ils avaient jouées, tous les deux ! Parfois, quand défilait dans son esprit cette succession de mises en scène délirantes, il avait peine à discerner la frontière entre le jeu et la réalité. Jusqu'à maintenant — et c'était là un point rassurant —, ils avaient toujours joué ensemble, l'un contre l'autre en vérité. Il l'observait à présent, comme on observerait une actrice depuis les coulisses, tandis qu'elle bavardait, assise avec cet abruti, tissant vraisemblablement autour de lui sa fine toile de fourberie et de duplicité. Quel genre de mensonge lui prodiguait-elle ? Quelle candeur, dans ce sourire ingénu — ce sourire qui s'arrêtait pourtant à la surface des lèvres. C'était une actrice, cette femme, sa femme, comme jamais il n'y en eut. Un véritable tissu de dissimulation... Plus il l'observait, plus il était ravi. Son plaisir était celui d'un enfant qui démonte les rouages d'un jouet compliqué.

Elle était plus belle que jamais. Belle comme un masque longtemps soustrait aux regards. Un masque, ou le masque d'un masque ? Des éclats lui traversaient l'esprit, tandis qu'il redisposait harmonieusement la dysharmonie de cet être. Tout à coup, il s'aperçut qu'elle le regardait, qu'elle le scrutait derrière le masque. Le genre de rapport que les vivants établissent avec les mourants. Elle se leva et, telle une reine se dirigeant vers son trône, elle s'avança vers lui. Il sentit ses membres trembler, submergé par une vague de reconnaissance et d'humilité. Il aurait voulu se jeter à ses genoux,

laissant s'échapper vers elle un flot de paroles de gratitude, pour avoir daigné s'apercevoir de sa présence.

Son haleine chaude, parfumée, l'emplit de terreur et
de ravissement. Sa voix grave, tendue, vibrante, le frappa
de plein fouet, comme un jaillissement d'accords étouf-
fés. Tandis qu'elle s'excusait avec outrance, il baissa les
yeux, comme pour effacer toute cette confusion.

— Tu m'as vu, quand tu es entrée ? demanda-t-il,
encore un peu décontenancé. Il avait pris l'attitude d'un
amant lors d'un rendez-vous secret.

— Si je t'ai vu ? fit-elle. Que veux-tu dire ?

— Tu ne m'as pas vu... ?

— Si je ne t'ai pas vu ?

Sa perplexité le rendait perplexe. Le masque d'un
masque. Le Sphinx et la Chimère unis dans une comédie éternellement changeante. L'énigme demeurait
impénétrable ; cette énigme, c'était aussi, soudain, ce
gladiateur s'acharnant sur la table, cet automate au
visage pétrifié, avec des poumons de gorille, et un soufflet de forge dans le ventre.

— Hildred ! hurla-t-il. Hildred !

Un rugissement de lion, une gueule profonde, écarlate, gorgée de rhododendrons.

— Je vais m'occuper de lui, déclara Hildred, se
levant brusquement, soudain blanche de colère, les
doigts crispés comme si déjà elle distendait les lèvres
écarlates jusqu'aux oreilles.

Il continuait de marteler la table de ses poings, pendant qu'elle venait vers lui.

— Qu'est-ce qu'il y a, espèce d'abruti ?
braillait-elle.

Il recula, avec le geste d'un homme tentant d'écarter un porte-voix de son oreille.

— Qu'est-ce que tu veux ? demanda-t-elle. Dis quelque chose !

— Un peu d'attention, voilà ce que je veux, dit-il d'une voix sifflante. Qu'est-ce qui se passe ? Je ne t'ai pas donné un billet assez gros ?

— ...

— Dis-moi, reprit-il en gazouillant, tandis qu'une lueur espiègle s'allumait au fond de ses yeux, qui est ce type, là-bas ? Tu ne veux pas que je te le casse en deux ?

— Imbécile ! s'écria-t-elle, élevant la voix. Ce n'est pas de la cervelle que tu as dans le crâne, c'est du muscle. Regarde-toi... Une palanquée de bidoche ! Tu t'imagines que je vais te sauter au cou parce que tu as gagné par un coup bas, hier soir ? Si jamais tu devais te battre vraiment, au corps à corps, on te ramasserait en petits morceaux...

Suivirent encore quelques railleries blessantes, perfides, visant toutes directement au-dessous de la ceinture. Aussi dur-à-cuire qu'il fût, il perdit contenance ; les larmes lui montèrent aux yeux. Il demeurait muet comme une carpe ; il baissa la tête, comme pour se préserver d'une tentative d'étranglement. Que c'était donc étrange de voir cet homme rompu à tous les coups durs, ce géant au corps de Dieu grec, aux nerfs d'acier, aux muscles fulgurants, assis là, la tête rentrée dans les épaules comme une tortue. Malléable comme un morceau de mastic. C'est à cela qu'il se réduisait entre ses mains : à une boule de mastic. Chacun pouvait le constater.

Tony Bring contemplait la scène avec embarras. Cependant, ainsi que le fit remarquer un des clients d'une voix étouffée, il était amusant de voir cet homme revenir chaque jour pour chercher sa punition. Il semblait s'en repaître. Solide, hâbleur et doué d'un heureux tempérament de brute comme il l'était, il réapparaîtrait certainement dès demain, le pas chancelant, parcourant la foule de son regard sans expression, lançant un salut général, de sa voix à faire trembler les murs. Qui plus est, il s'était mis en tête qu'il savait chanter. En apercevant Hildred, il se dirigeait vers le piano et, posant ses battoirs sur le clavier, répandait ses tripes en une chanson d'amour languissante. *Song of India* était son air préféré. Il tentait désespérément d'enrober ses paroles d'un miel de tendresse, mais elles tombaient de sa bouche comme autant de dents déchaussées.

— Regarde-le, dit Hildred, ayant repris sa place dans l'angle de la fenêtre, une fois l'agitation retombée. Regarde-le donc ! Il est malade d'angoisse et de chagrin. Mon dieu, il ne va pas se mettre à sangloter, tout de même ?

— Je t'en prie, Hildred, cela suffit ! Il n'y a pas de quoi se vanter.

— Ne me dis pas que tu le plains, dit-elle avec un éclair dans les yeux.

— Je ne sais pas. Ça me rend malade, comme si je voyais un chien recevoir des coups de pied dans le ventre.

— Ridicule ! Tu n'as aucune idée de ce que c'est, d'avoir affaire à ces abrutis.

— Peut-être... Mais j'imagine tout de même qu'il y a d'autres manières de...

Elle le coupa d'un rire bref, méprisant.

— Pauvre niais. Quelle idée, de s'apitoyer sur un type pareil ! Avec ta façon de défendre les gens, surtout quand tu n'as aucun droit de le faire, tu me fais jouer le mauvais rôle.

Sa voix était devenue âpre, irritée. Elle se tourna brusquement et hocha la tête.

— Tu vois cette femme, là-bas, avec les cheveux blancs ? S'il y a une chose que je déteste au monde, c'est bien les garces dans son genre, tout sucre et tout miel. Ça ne voit que le bien partout. Si on se conduit mal avec elle, si on l'insulte, elle vous trouvera des excuses... Elle vous expliquera que vous ne pensez pas vraiment ce que vous dites. Elle dégouline de bons sentiments, cette vieille rombière, elle vous en inonde. Je déteste ces gens-là. Et je te déteste, quand tu prends la défense de gens dont tu ne sais rien.

Tony Bring s'efforça, comme à son habitude, de garder son calme. Elle parlait toujours ainsi, quand elle était furieuse. La vieille femme avait raison, elle ne pensait pas ce qu'elle disait. Elle était bonne, Hildred. C'était un ange, mais elle se sentait plus à l'aise quand les gens la considéraient comme un démon. Elle était perverse, voilà tout.

— Je crois que tu ne devrais plus venir ici, reprit-elle, un peu calmée. Vraiment, Tony, je crois que tu ne devrais plus. Vraiment. (Il se raidit.) Oh, je sais bien que ça semble bizarre, mais ne cherche pas à comprendre, n'imagine rien. Fais-moi confiance, je sais ce que je fais.

Un voile d'inquiétude assombrit le regard de Tony. Hildred était ennuyée. Il prenait tout tellement au sérieux. Elle se radoucit instantanément cependant, et sa voix se fit plus persuasive encore.

— Tout cela est si bête, dit-elle. Je n'aime pas te voir ici, Tony. Ça n'est pas ta place. De toute manière, cela ne durera plus longtemps. Tu verras... J'ai un plan en réserve... (Elle lui jeta un regard aigu.) Tu m'écoutes, ou non ?

— J'écoute, dit-il.

Elle et ses plans... ses stratagèmes... ses pièges. Tout était pourri, depuis le début. Un peu plus chaque fois. Pour rien... rien. Des tronçons mis bout à bout sans suite logique. De mauvais rêves.

— Oui, j'écoute...

Il s'enfonça en lui-même, plus âprement. Les mots qui lui parvenaient scandaient le rythme de ses pensées. Un demi-songe, en fait, générant un flot d'idées informes qui sinuaient sur la terre entière, et s'infiltraient dans les eaux souterraines. Parce qu'il était aveugle, et ne possédait que la sagesse d'un homme, parce qu'il baissait la tête devant la vérité, et n'avait aucune foi en ses sacrifices, parce que dans le lendemain il ne voyait que l'ivraie desséchée de la moisson d'hier... A cause de toutes ces choses étrangères à sa perception masculine de la vie, les mots qu'elle s'arrachait de la poitrine lui parvenaient chargés de douleur et d'amertume.

Enfin, d'une voix dont toute virilité semblait avoir été tarie, il demanda :

— Mais n'es-tu pas au moins un tout petit peu contente que je sois venu ?

— La question n'est pas là, répondit-elle.

Ses paroles le frappèrent comme un coup de poing. Comme s'il s'était tenu au sommet d'un grand escalier, et qu'elle l'eût poussé de toutes ses forces, le laissant stupéfait, impuissant, avec dans les oreilles le bruissement d'un vol de chauves-souris.

Quelqu'un se tenait près d'eux, au coude à coude. Il lui sembla que cette personne était là depuis une éternité.

— Oh, c'est toi ! s'exclama Hildred, lui jetant un regard bref, du coin de l'œil. Immédiatement, elle se troubla. Tony, dit-elle, voici mon amie... C'est... C'est Vanya.

Plus tard, quand cet événement aurait retrouvé ses justes proportions, Tony Bring tenterait sans cesse de reconstituer les détails de cette rencontre. C'était pour lui comme la révélation furtive d'un univers jusqu'alors inconnu. Mais tout ce qu'il parvenait à se rappeler, c'était l'impression d'un visage — un visage qu'il n'oublierait jamais — tout près du sien, si près en fait que les traits s'en dissolvaient dans un brouillard, la seule chose demeurée claire dans son souvenir étant une image rétrécie de lui-même, enchâssée dans un espace pas plus grand qu'une larme.

A partir de cet instant, ce fut Vanya par-ci et Vanya par-là, de grands discours enflammés de la part de Hildred, dont l'âme avait quitté le corps pour rejoindre des régions célestes, très haut, très loin. Quant à Vanya, c'était le silence, un silence assourdissant.

Ainsi, se dit-il, Bruga, c'était elle. C'était elle qui avait créé cette sale petite marionnette vicelarde, cet avorton qui le lorgnait jour et nuit avec un sourire arrogant et sournois. Eh bien, il avait là l'occasion de la voir de près... Elle n'était ni folle ni saine d'esprit, ni vieille ni jeune. Elle n'était pas sans beauté. Mais c'était là cette beauté que l'on évoque dans la nature, plus que celle d'un être humain. Elle évoquait une mer calme au lever du soleil. Elle ne posait pas de question, ne répondait pas. Il y avait aussi quelques dissonances en elle. Un visage peint par Léonard de Vinci planté sur un buste de dragon ; des yeux fixes, lumineux, qui brûlaient derrière des lambeaux de voiles. Il ne la quittait pas des yeux, comme pour lui arracher du crâne ces membranes qui venaient sans cesse s'agglutiner dans son regard. Une sérénité fondamentale, hypnotique. Le regard fixe d'un médium, et sa voix. Son cou était blanc, un peu trop long. Il palpitait quand elle parlait.

Cette première rencontre, pareille à une ouverture musicale qui semble ne jamais devoir finir, le laissa vidé de toute substance. Son corps n'était plus un organisme vivant, doté de muscles et de sang, de sentiments et de pensée, mais une coquille creuse où le vent s'engouffrait en sifflant. Quelle étrange langue elles parlaient, une langue semblable à la trajectoire d'une baleine quand, blessée par le harpon, frémissante de rage et de douleur, elle s'enfonce sous l'écume des vagues, laissant un sillage teinté de sang.

Il abandonna tout effort pour suivre le fil de leurs paroles. Son regard s'était fixé sur le long cou blanc de Vanya, un cou d'oie qui vibrait comme une lyre. Doux et lisse, ce cou. Doux comme de la laine de vigogne. Si l'on vous jetait au bas d'un escalier, stupéfait, impuissant, avec le bruissement des chauves-souris à vos oreilles, et un cou comme celui-là auquel se retenir, s'accrocher, contre lequel prier... Si vous vous retrouviez soudain la bouche pleine de rhododendrons, une bouche étirée jusqu'aux oreilles, si vous aviez un orgue dans le ventre et des bras de gorille, des bras faits pour écraser, dans le blasphème et l'extase, si vous aviez toutes les ténèbres, toute la nuit pour vous y rouler, pour sacrer, pour vomir, et, près de vous, un cou qui vibre comme une lyre, un cou si doux, si lisse, un cou brodé d'yeux qui transperceraient le voile de l'avenir et parleraient une langue inconnue, une langue obscène, si...

# DEUXIÈME PARTIE

# 1

Jour après jour, les ombres s'allongèrent, et partout les couleurs se fondirent en bruns mordorés et en roux profonds. Ici et là, des choses se dressaient contre l'horizon uniforme, avec une vigueur de squelette : des chênes décharnés, tordant leurs rameaux de réglisse dans le lavis grisâtre du ciel, leurs jeunes pousses fragiles courbées comme des écoliers ployant sous le fardeau de la sagesse.

Peu à peu, un suaire s'étendit sur la ville ; le vent rugissait dans les tranchées profondes, précipitant la poussière et les déchets de la rue en tourbillons suffocants. Les gratte-ciel se dressaient avec un éclat sépulcral dans une brume de grisaille et de rouille. Mais, dans les cimetières, verte était l'herbe de la résurrection, de la vie éternelle. Vertes aussi étaient les rivières, du vert de la bile.

Chaque jour apportait son lot de visages nouveaux au Caravan : fauchés revenant de la Riviera, artistes qui étaient allés faire quelques croquis à la campagne, actrices pourvues de contrats juteux, acheteurs des grands magasins en vogue, tous ayant retenu quelques phrases de français et d'italien durant leur séjour à l'étranger. Tous prêts à retrouver leur terrier à l'approche de l'hiver, à reprendre l'existence fébrile et malsaine dans laquelle ils prétendaient trouver liberté et joie de vivre.

Vanya vivait pratiquement au Caravan. Quand Hildred arrivait, dans la matinée, elle était déjà là, en train de l'attendre pour le petit déjeuner. Elles se retrouvaient chaque jour comme si elles avaient été séparées depuis des années.

Assez curieusement, quel que fût le moment où Tony Bring passait, elles étaient sorties. C'était toujours la même histoire — Hildred était partie quelque part *avec son amie*. Aucune mention ne fut faite de ces incursions jusqu'au jour où, comme Hildred se préparait à sortir, s'éleva une de ces petites querelles qui devenaient chaque jour plus fréquentes. Elle l'accusa de l'espionner. Elle ne savait que trop combien de fois il était passé là-bas, elle connaissait les questions qu'il posait sans cesse, les sous-entendus perfides. Pour tout dire, elle l'avait vu elle-même de temps à autre, le nez écrasé contre la vitrine. D'ailleurs, Dieu savait où il ne fourrait pas son nez.

Finalement, le nom de Vanya jaillit. Vanya... Oui, c'était elle qui était cause de toute cette histoire.

— Tu es jaloux d'elle, voilà la vérité ! s'écria Hildred.

— Jaloux d'*elle* ? L'espace d'un instant, il demeura bouche bée, incapable de trouver une épithète assez basse pour traduire toute l'ampleur de son dégoût. Quelle merveilleuse amie elle faisait, cherchant sans cesse à s'introduire ici ou là avec une pincée de drogue, traînant en compagnie de putains et de poètes syphilitiques.

— T'imagines-tu que je vais la prendre au sérieux ? s'écria-t-il. Tu appelles ça un génie. Qu'est-ce qu'elle peut montrer de son génie ? Je veux dire, à part ses ongles crasseux !

Hildred le laissait crier dans un silence exaspérant. Elle était tout occupée à se mettre du rouge aux lèvres.

Son visage avait un ravissant éclat cadavérique ; s'observant dans le miroir, elle se grisa peu à peu, ivre de sa propre beauté — comme le croque-mort qui s'aperçoit tout à coup qu'il a un merveilleux cadavre entre les mains.

Tony Bring était fou de rage.

— Arrête ! hurla-t-il. Tu ne vois donc pas de quoi tu as l'air ?

Elle s'examinait dans le miroir, calmement.

— Je suppose que j'ai l'air d'une pute, c'est bien ce que tu veux dire ? demanda-t-elle d'une voix suave.

Enfin, elle fut prête à sortir. Elle s'arrêta sur le seuil, la main sur la poignée de la porte.

— J'aimerais que tu ne partes pas tout de suite, dit-il. J'ai quelque chose à te dire...

— Je croyais que tu avais terminé.

Il s'appuya dos à la porte, la serra contre lui. Il embrassa ses lèvres, ses joues, ses yeux, et ce petit coin de chair qui palpitait sur sa gorge. Il avait un goût de fard gras dans la bouche.

Hildred se dégagea et, tout en dévalant l'escalier, elle lui lança :

— Tire ta crampe tout seul !

Plusieurs fois au cours de la nuit, il se leva d'un bond, rejetant le gros livre qu'il lisait, et se précipita jusqu'à la station de métro. Il attendit sous le passage, tandis que les rames se succédaient. Il marcha jusqu'à l'esplanade du pont, attendit encore. Des taxis passaient, funèbres. Des taxis bondés d'ivrognes. Des taxis bondés d'assassins. Pas trace de Hildred...

Il rentra chez lui et demeura éveillé dans la nuit. Au matin, il apprit qu'elle avait téléphoné.

— Qu'a-t-elle dit ? demanda-t-il.

— Elle a dit qu'elle voulait vous parler.

— Elle n'a laissé aucun message ?

— Non, elle a simplement demandé si vous étiez là.

— C'est tout ?

— Elle a dit qu'elle voulait vous parler.

Hildred justifia son absence en déclarant que sa mère était tombée malade.

Très bien.

Ce n'est que quelques jours plus tard qu'il s'aperçut que son histoire était bancale. Décidant, sur un coup de tête, d'appeler sa mère, il apprit avec stupeur que la mère et la fille ne s'étaient pas vues depuis plus d'un an et, plus encore, que la mère ignorait même que sa fille était mariée.

Lorsque, quelques jours plus tard, tandis qu'ils étaient couchés, serrés l'un contre l'autre, il lui rapporta mot pour mot cette conversation, elle se mit à rire, à rire à en perdre le souffle.

— Ma mère t'a vraiment raconté ça ? (Nouvelle explosion de rires.) Et tu as avalé cette histoire ! Elle riait toujours, avec une jubilation sanguinaire. Puis soudain, brusquement, son rire cessa. Il l'attira à lui. Tout son corps tremblait, ruisselant de sueur. Elle tenta de dire quelque chose, mais ne parvint à émettre qu'un gargouillement enroué. Il demeurait presque immobile, la serrant contre lui.

Quand elle se fut bien calmée, il la saisit brutalement aux épaules et la secoua.

— Pourquoi ta mère me mentirait-elle ? demanda-t-il d'une voix dure. Pourquoi ? Pourquoi ?

Elle se mit à rire, à rire à en perdre le souffle.

## 2

Quelques nuits plus tard, on l'appela au téléphone.
C'était Hildred. Vanya était malade, elle pensait qu'elle
devrait rester près d'elle.

— Cela t'ennuie-t-il, si je ne rentre pas à la maison ? demanda-t-elle.

— Oui, cela m'ennuie. Cela dit, fais ce que tu crois
être le mieux.

Il y eut un silence, durant lequel il capta les derniers
échos d'un papotage entre deux opératrices se remé-
morant sans fin la foire qu'elles avaient faite la veille
au soir. Lorsque la voix de Hildred émergea de nouveau sur la ligne, elle avait un tremblement bizarre.

— Je rentre à la maison, dit-elle. J'arrive tout de
suite...

— Hildred ! s'écria-t-il. Écoute... ! Écoute !

Pas de réponse. Le bourdonnement de l'écouteur à
son oreille se mêlait à la confusion de ses pensées. A
l'instant où il allait raccrocher, il perçut un
« Ouuu... oui ? » faible, hésitant.

— Hildred, écoute-moi... Vas-y, reste avec elle...
Ne t'inquiète pas pour moi.

— Tu en es sûr, mon chéri ? Tu es certain que cela
ne te contrarie pas ?

— Bien sûr que non ! Tu me connais... Il faut toujours que je fasse le pitre. N'y pense plus. Aucun pro-

blème pour moi. Amuse-toi bien, ajouta-t-il en rac-crochant.

En retournant dans la chambre, il avait l'impression que les tripes lui sortaient du ventre. « Je le savais, murmura-t-il. Je savais que cela finirait par quelque chose de ce genre. »

La nuit lui parut interminable. Toutes les cinq minu-tes, il se réveillait, contemplait l'oreiller déserté. Au matin, il sombra dans un sommeil agité. Des rêves se succédaient comme les figures d'un kaléidoscope, ful-gurant entre chaque battement de son sang. Certains réapparaissaient sans cesse, un particulièrement où il la voyait lovée sur un divan de crin, le visage en décom-position. Comment un être humain pouvait-il dormir si profondément, alors que son visage se décomposait ? Alors, il pressentit que son sommeil n'était qu'une sorte d'épaisse purée de pois, ce qui remettait les choses en place... Il y avait un autre rêve, dans lequel il vivait avec un vieux Juif, qui traînait à longueur de journée en faisant claquer ses pantoufles. Il portait une barbe de patriarche, qui s'étalait en vagues majestueuses sur sa poitrine chétive ; sous la barbe, il y avait des bijoux, une épaisse grappe de bijoux, disposés comme sur le plastron d'un grand prêtre. Quand la lumière tombait sur eux, la barbe s'enflammait, puis la chair, calcinée jusqu'au crâne... Enfin, il rêva qu'il était à Paris. Il se trouvait dans une rue déserte, à l'exception de deux prostituées et d'un gendarme qui les talonnait comme un maquereau. Au bas de la rue, dans le jaillissement d'une fontaine lumineuse, il aperçut un manège recou-vert d'une bâche rayée, et un carré de pelouse parsemé de faunes en marbre. Sous la toile rayée, les lions et les tigres se tenaient raides, le dos émaillé d'or et d'ivoire. Ils demeuraient ainsi, immobiles, tandis que la musi-que jouait et que la fontaine ruisselait de gouttes irisées.

A son réveil, il se rendit tout droit au Caravan. Hildred n'était pas encore arrivée — il était beaucoup trop tôt pour le petit déjeuner. Il acheta un journal et se dirigea vers Washington Square. Quelques retardataires se hâtaient vers leur travail. Il s'assit sur un banc. Quelle idiotie, d'être assis là à cette heure de la matinée, en train de se geler les orteils dans un square désert. Il jeta un regard morne autour de lui. Les travailleurs travaillaient. Les fainéants étaient encore au lit, somnolant doucement. Il était beaucoup trop tôt pour le petit déjeuner.

L'air était vif, revigorant. C'était gratuit, l'air... Pas un sou à débourser... Pas un centime. Ainsi donc, Vanya était malade. L'idée que cette rustaude pût tomber malade lui apparaissait grotesque. Dieu sait que les femmes avaient leurs petites misères, surtout quand la lune et les marées se conjuguaient en une configuration mystique. Cependant... Dans l'*Encyclopaedia Britannica*, on disait que rien au monde n'était aussi singulier qu'un être humain hermaphrodite. Un hermaphrodite était un être pourvu à la fois d'ovaires et de testicules. Voilà ce que c'était. Mais Hildred connaissait, au Caravan, une fille qui avait une ébauche de queue. On le savait parce que quelqu'un avait vu cette jeune dame la culotte baissée. Une autre jeune dame, très probablement...

Quand il revint au Caravan, il y avait trois personnes assises à une table : un petit garçon, une femme d'âge indéterminé qui semblait être sa mère, et un vieux monsieur à la physionomie de rapace, visiblement très occupé à se curer les dents. Il lui apparut que le petit garçon était malheureux. L'idée que le malheur pût se manifester à cet âge était absurde ; il ne parvenait pas du tout à concevoir une telle chose.

La serveuse vint à lui et prit sa commande  Elle avait

un visage frais, reposé. De bonnes joues rouges comme des pommes, et deux arcs de velours au-dessus des yeux. C'était merveilleux de voir un sourcil fait de vrais poils. Il demanda si Hildred était déjà arrivée. Non, aucune des filles ne s'était encore montrée.

— Je suis la seule, ajouta-t-elle avec un sourire. C'est moi, l'oiseau du matin, celui qui attrape les vers.

Les vers ? L'expression lui parut singulièrement malheureuse. Détournant les yeux, il vit la mère du petit garçon qui regardait le vieil homme droit dans les yeux en souriant, en souriant comme si elle avait vu la Résurrection incarnée. De temps à autre, elle se tournait vers l'enfant et le suppliait de manger, mais il se contentait de hocher sa petite tête de caniche en roulant des yeux pathétiques. Tony Bring reporta son attention sur la mère. Étrange, se dit-il, comme les femmes aiment se déguiser en putains. Au fond d'elles-mêmes, c'étaient toutes des putains, toutes sans exception, même les anges.

Vers dix heures, les habitués du matin commencèrent à affluer pour le petit déjeuner : de petits bonshommes nerveux, moroses, préoccupés, qui nettoyaient leur assiette avec une croûte de pain ; des femmes robustes et brutales qui, telles des idoles primitives exhumées lors de fouilles, avaient pourri tout au long des années ; des dandys maniérés, au visage repoussant, lui rappelant non sans malaise les planches illustrant certaines brochures médicales. Il observait tout cela avec une attention aiguë, avec un œil cruel, impitoyable. Derrière lui, un vieux débauché implorait la serveuse aux joues roses de lui expliquer ce qu'était une fressure d'agneau. Si seulement Hildred était là, se dit-il, elle lui expliquerait, à ce vieux singe libidineux. *Une fressure d'agneau !*

Une à une, les autres serveuses arrivèrent en traînant la patte, éternuant, bâillant avant même d'avoir touché une assiette. L'une d'elles s'assit au piano et se mit à taquiner les touches jaunies. Les notes s'écoulaient de ses doigts comme de la sueur ruisselant le long des murs. Elle chantait d'une voix étrange, aigrelette — « Oh, je vois l'Égypte dans tes yeux rêveurs... » La mélodie faisait naître sur son visage bucolique l'expression enchantée de la nullité parfaite.

Onze heures passèrent doucement, onze heures et quart. Aucun signe de Hildred, ni de Vanya. Il s'enquit d'elle, à nouveau.

— Oh, Hildred... Elle ne vient pas aujourd'hui, répondit la créature maladive assise au piano. Non, elle ne vient pas, ça, c'est sûr, répéta-t-elle avec un faible sourire. Elle évoquait un brûleur de cuisinière obstrué par la poussière.

Il sortit en trébuchant dans la lumière jaune de la rue, maudissant la mère de Bruga, la vouant à l'abominable homme des neiges, aux purges infernales, aux inflammations urinaires. Il pria pour que tous les démons du calendrier aztèque s'accrochent à sa crinière de charbon. Il pria pour que ses dents tombent une à une, pour que tous ses poils se mettent à pousser... Tandis qu'il s'éloignait, parvenait encore à son oreille le tintement des touches jaunies. Les yeux de l'Égypte, les yeux rêveurs, dissimulateurs, nauséeux. Il voyait encore ses doigts frêles et cassants, d'où perlaient les notes moisies, et sa douce échine ployant sous le poids de son cerveau brouillé, ses dents s'entrechoquant comme des dés dans un cornet.

Une demi-heure plus tard, il sonnait à la porte de Willie Hyslop. Personne ne lui répondit. Il traîna un moment, bavardant avec les enfants sur le perron. Puis, au désespoir, il se lança dans une battue systématique du Village. Les caves, les soupentes, les bars clandestins, les ateliers, les restaurants — il les chercha partout. Enfin, découragé, il se décida à retourner au Caravan. C'était comme revenir sur les lieux du crime.

On lui apprit qu'elles étaient encore là quelques instants auparavant. Elles étaient passées en coup de vent. Il repartit pour la boîte de Willie Hyslop, le long du fleuve, sur Hudson Street, et sonna de nouveau. Pas de réponse. Il traversa la rue et demeura là, contemplant les fenêtres sans savoir quoi faire. Enfin, il s'assit sur un perron en face de la maison, fixant d'un regard absent la façade délabrée par les intempéries. L'air de la rue était saturé d'émanations d'égouts. Des fabriques de ciment, des cabanes croulantes, les eaux sales de la lessive nocturne. Une bohème sinistre, minable, désolée. Ses membres étaient douloureux, ses pensées recouvertes d'une écœurante pellicule de limon. Les égouts refoulaient. Son cerveau puait. Le monde entier puait.

Comme il allait partir, une vieille femme s'approcha de lui. Elle tenait des prospectus sous le bras.

— Êtes-vous catholique, mon ami ? demanda-t-elle.

— Non !

— Je vous prie de m'excuser, monsieur, mais vous portez la tristesse sur votre visage. Cela pourrait vous soulager de savoir que le Christ vous aime.

— Que le Christ aille au diable ! dit-il, et il s'éloigna à grandes enjambées.

Dans le métro, il ramassa un magazine abandonné sur la banquette. Il était écrit en allemand, et la couverture était constellée de femmes nues. Elles avaient toutes de gros derrières, comme celles qui, à Munich, se vautrent sur les bancs, dans les jardins publics. Il

60

tourna les pages au hasard. « *Guten Tag ! Hat meine Kohl-rübe heute nacht gut geschläfen* * ? »

Sa logeuse l'attendait à la porte.

— Il y a un message ? s'enquit-il.

Sa logeuse était trop ladre pour même ouvrir la bouche. En outre, elle avait le nez humide et bleuâtre. Elle était originaire de la Nouvelle-Écosse. Comme il s'élançait dans l'escalier, se doutant vaguement qu'il trouverait Hildred au lit, la vieille sorcière fit mine de se gratter la gorge.

— Oui ? cria-t-il. Qu'est-ce qu'il y a ?

Il criait non parce qu'elle était dure d'oreille, mais pour bien marquer son insolence.

Elle lui faisait savoir que l'échéance du loyer était passée.

— Êtes-vous certaine qu'il n'y a pas eu de coup de fil ? demanda-t-il.

— Oui. Vous en attendiez un ?

---

* « Bonjour ! Est-ce que mon rutabaga a bien dormi cette nuit ? »

## 3

Souvent, la nuit, Vanya quittait son lit pour marcher dans les rues. Elle avait peur des ombres, des pas lourds qui résonnaient. Elle se plaignait de ce que, la nuit, les murs de sa chambre s'effondrent comme un soufflet d'accordéon. Elle ne voulait pas de fleurs près d'elle, par crainte d'être empoisonnée. Les couleurs l'affectaient violemment. Les visages aussi. Durant certaines périodes, elle ne voyait plus que le nez des gens. L'odeur du Lysol la mettait au supplice. Les œufs mollets lui donnaient la jaunisse.

Souvent, elle s'enfermait dans sa chambre et, installée devant le miroir, elle se faisait le visage de John Barrymore dans *Le Monstre marin* ou *Dr. Jekyll et M. Hyde*. Devant le reflet de ces images abominables, elle commençait à délirer : « Qui suis-je ? *Que* suis-je ? »

L'idée qu'elle pût avoir une personnalité multiple éveillait sa curiosité. Telle une actrice, elle était lasse de jouer toujours le même rôle, celui que le destin avait choisi pour elle. Elle ressemblait à tous ceux qui croient pouvoir, en changeant de nom ou d'adresse, modifier le cours imbécile de leur vie. En dépit de son âge et de ses limites, elle avait presque tout essayé. Elle avait même tenté de devenir un homme.

Il était difficile de la suivre dans ses déplacements, dans sa course incessante. Tony Bring, par exemple, était persuadé d'avoir fait le pied de grue devant sa porte, quelques nuits auparavant. Il était exact qu'elle avait vécu là, naguère, mais Vanya elle-même ne se serait probablement pas souvenue de cet endroit, si quelque mésaventure ne l'avait gravé dans sa mémoire. Cet incident pénible était un incendie, qui l'avait brutalement tirée d'un rêve dans lequel elle s'imaginait barboter dans un bain de chaux vive. Avant qu'elle eût pris clairement conscience de ne plus rêver, le feu lui avait rôti le derrière. Pendant plusieurs semaines, elle avait dû prendre ses repas debout, et s'endormir sur le ventre.

Une brûlure finit par cicatriser, avec le temps, mais il n'est pas aussi facile de se débarrasser de la police. Apparemment, lorsque le matelas avait pris feu, on avait évacué une demi-douzaine de personnes de la chambre de Vanya. Il apparut malheureusement que trois d'entre elles étaient des hommes androgynes ; les trois autres étaient des femmes androgynes. On appela des inspecteurs, et la brigade des mœurs se mit immédiatement au travail, avec ses gants de caoutchouc visqueux. Personne ne croyait un mot de ce que disait Vanya. Pour finir, Hildred fit appel à un politicien, et l'affaire fut étouffée. Mais Vanya était fichée. Au bout d'un moment, elle commença de se glorifier de cette histoire, regrettant qu'ils n'eussent guère trouvé qu'un « trouble de l'ordre public » à mentionner en face de son nom.

Depuis cet épisode, elle avait souvent déménagé, et changé aussi de nom plusieurs fois. Bien que Tony Bring ne s'en doutât aucunement, elle vivait à présent à deux rues de chez lui, dans un vieil immeuble de pierre brune. Cette proximité offrait à Hildred l'agrément de passer la chercher en allant travailler. Elles prenaient leur petit déjeuner ensemble, dans un restaurant du quartier, négligeant le repas gratuit offert par le Caravan, où il leur aurait fallu manger sous une surveillance plus ou moins discrète.

Cependant, et malgré leur intimité, Hildred n'accordait pas une confiance totale à Vanya. Celle-ci ignorait, par exemple, que son Hildred adorée était mariée. Et, quand elle apprit la chose d'une bouche indiscrète, elle prétendit ne pas le croire. Hildred en fut flattée. Un de ses fantasmes était de se voir comme un être inaccessible.

Cette comédie, poursuivie jusqu'à l'absurde, finit par irriter considérablement Tony Bring.

— Si tu ne lui dis pas la vérité, déclara-t-il un jour, je la lui dirai moi-même.

Mais Hildred parvint à l'en dissuader.

— Tu vois, ajouta-t-elle plus tard, j'ai pensé qu'il était plus sage de lui dire que nous vivions simplement ensemble. Elle sait que je ne suis pas vierge. En outre, je peux parfaitement avoir un petit ami, si cela me plaît. Si je lui disais la vérité, tout le Village saurait que nous sommes mariés.

Tony Bring aurait bien aimé savoir quel mal il y avait à cela.

— Nous ne pouvons pas nous permettre de l'ébruiter — tu le sais aussi bien que moi, répondit Hildred sur un ton irrité.

Ainsi, l'affaire était close — pour l'instant.

Une heure à peu près s'était écoulée, quand Tony Bring se posa soudain une question : *Comment Vanya savait-elle que Hildred n'était pas vierge ?*

## 4

Une nuit, vers deux heures du matin, peu après cette scène, toutes deux débarquèrent à la maison. Il était couché. Réveillé par le grincement de la porte, il les vit debout sur le seuil, pouffant de rire. Elles avaient apporté des sandwichs et du café.

Tandis qu'ils mangeaient, Hildred remplit une bassine d'eau chaude pour que Vanya prenne un bain de pieds. Puis elle les lui essuya tendrement, et les oignit de cold-cream. Il regardait, éberlué. Vanya considérait cela comme allant de soi.

— Regarde, dit Hildred, ne sont-ils pas dans un état épouvantable ?

Vanya leva le pied avec nonchalance, et bâilla.

— Ça n'est rien, dit-il. Un peu d'irritation.

Hildred en fut indignée. Armée d'un peigne et d'une brosse, elle s'employait à présent à démêler la crinière de Vanya, vautrée dans le fauteuil, avec l'air satisfait d'une chienne que l'on débarrasse de ses puces. Tony Bring gardait les yeux fixés sur Hildred, sur les dents du peigne jaune pâle qu'elle promenait amoureusement dans la mousse d'un noir bleuté, et ses pensées haineuses suivaient le mouvement de sa main.

Il avait été décidé — Hildred avait décidé — que Vanya resterait dormir. On éteignit la lumière. Vanya dormait dans un lit, lui dans l'autre. Ils n'avaient qu'à tendre le bras pour se toucher la main. Hildred s'agitait, mal à l'aise.

Une bataille s'était engagée. Ils se battaient, tous trois, ensemble, l'un contre l'autre, chacun contre soi-même, ils se battaient désespérément pour ne pas se battre. Bientôt, telle une vague venue de loin, du bord de l'horizon, Hildred se coula entre eux. Comme elle se penchait pour l'embrasser et lui souhaiter bonne nuit, son corps tout baigné de fleurs et de clair de lune, il éprouva jusqu'à la nausée le désir de l'étrangler.

De temps en temps, il ouvrait les yeux, contemplait les silhouettes pâmées dans la masse confuse des draps et des couvertures. La tête de Vanya flottait dans une flaque d'encre, sur la poitrine de Hildred. Son bras nu formait une courbe alanguie, enserrant ses formes ondoyantes. Un bras solide, épais, dont le poids reposait sur le corps de sa femme comme une enclume.

Au matin, elles l'invitèrent à se joindre à elles pour le petit déjeuner. Il se laissa faire, comme un invalide se soumet aux soins de l'infirmière. Le petit déjeuner fut un supplice. Il sentait qu'il était de trop. Le monde entier n'était pas assez vaste pour eux trois. En marchant jusqu'au métro, elles bavardaient, tout excitées, passant sans cesse d'un sujet à l'autre. Elles faisaient semblant d'être détachées ; elles parlaient pour ne rien dire, et s'écoutaient sans saisir un seul mot.

Dans le métro, Hildred retrouva le contrôle d'elle-même. Jetant des regards de défi à la ronde, elle haussa le ton plus qu'il n'était nécessaire et claironna des choses que l'on murmure généralement, à supposer même qu'on ait l'audace d'en parler en public. D'un coup d'œil dévastateur, elle repérait un visage et en faisait l'analyse, mettant à nu les vices cachés, les hypocrisies ; elle s'attaquait particulièrement aux femmes d'âge mûr, sur la physionomie desquelles la pitié et l'horreur se conjuguaient, les provoquant d'un rire impudique, les fixant d'un regard narquois qui les faisait se contracter. Vanya, elle, affectait la dignité d'une statue ridicule.

En sortant du métro, elles filèrent tout droit chez Willie Hyslop et ses amis. Tony Bring tentait de rester à l'écart, mais Vanya le prit par le bras pour le présenter cérémonieusement. La situation évoquait pour lui ce que doit ressentir un athée lorsqu'il reçoit l'extrême-onction.

Il écouta sagement, tandis que deux filles appelées Toots et Ebba relataient leurs exploits. Elles avaient l'allure fringante et émoustillée de deux airedales en train de se flairer. Elles étaient attirantes aussi, à leur manière animale. Les pointes de leurs seins transperçaient leurs chandails comme des fistules.

A la porte du Caravan, il attira Hildred à l'écart et lui parla à voix basse. Elle ne se sentait pas dans son assiette.

— Mais pourquoi as-tu fait cela ? demanda-t-il avec insistance. C'est la seule question que j'aie à te poser. Tu ne peux pas y répondre ?

Hildred observait Vanya du coin de l'œil. Sans conviction, elle lui expliqua qu'il aurait été gênant pour elle de se mettre au lit avec un homme en présence d'une autre femme. Il réagit instantanément :

— C'est ce machin que tu appelles une femme ? dit-il d'un ton âpre.

Le visage de Hildred s'assombrit. Elle commença de hausser le ton. Finalement, elle se mit à l'injurier. Une expression de douleur apparut dans les yeux de Tony Bring. Il avait pitié d'elle, de lui-même, de tous ceux qui souffraient en ce monde, quand la souffrance était une chose si vaine.

Soudain, elle lui prit la main, la serra furtivement.

69

— Ne pouvons-nous pas parler de cela plus tard ? le supplia-t-elle, avec une extrême douceur, comme si elle s'était littéralement mise à genoux devant lui.

Il réfléchit. Il voulait faire preuve de dignité, de loyauté. Peut-être, ainsi qu'elle l'avait déclaré, faisait-il une montagne d'une taupinière. Dieu savait qu'il n'était plus très sûr de ce qu'il faisait.

A présent, les autres les observaient. Elle retira vivement sa main.

— Très bien, dit-il. Nous en parlerons plus tard. Mais (il l'attira plus à l'écart encore) je te préviens tout de suite... Peu importe ce que tu me racontes, une chose pareille ne peut plus se reproduire... plus *jamais*. Tu comprends ?

Il se détourna et s'en fut sans attendre.

Elle demeura là, le regardant s'éloigner d'un pas rapide, hargneux. Un flot de sang lui monta au visage. La lumière violente de la rue lui brûlait les yeux. Elle détestait le soleil... Elle le détestait... le détestait.

Tandis qu'il marchait, son esprit débordait d'amertume et de dégoût. Il repensait à la manière dont celle qu'on appelait Toots était venue droit sur Hildred et l'avait embrassée sur les lèvres. Et pas plus tard que la veille au soir, selon son propre aveu, elle et Ebba avaient organisé une petite séance pour quelque vieux bouc, un quelconque abruti plein aux as et complètement décati, amateur de curiosités. Il revoyait aussi les dents jaunes de Hyslop, et sa moustache soyeuse qui commençait juste à pousser, ce qui accentuait son aspect efféminé. Ils avaient de sales bouches, tous, des bouches que l'on attribue généralement, à tort ou à raison, aux êtres dégénérés. Il se demanda pourquoi il n'était pas parti dans l'instant. Il essuya ses mains moites à son pardessus, comme pour prévenir tout danger de contamination.

## 5

Rentrant chez lui à l'improviste un après-midi, il eut
la stupeur d'y trouver deux belles au bois dormant, installées dans son lit. Elles reposaient, tels des anges épuisés par des vols laborieux et incessants. Il posa sur
Vanya un regard pénétrant ; elle luttait pour garder
les yeux fermés. Hildred faisait semblant de ronfler —
de fait, elle ronflait aussi fort que tout un régiment.

Cinq minutes plus tard, il roulait sur le pont de
Brooklyn. Des cavaliers blancs, avec des éperons de
malachite, traversaient les nuages bas, accrochés
comme des collerettes de graisse aux côtes graciles des
gratte-ciel. En dessous, les appontements grinçants
labouraient les flots agités comme des peignes aux dents
émoussées. De la pointe de Manhattan jusqu'au pont,
tel un immense mirage de pierre, la ville vacillait et
vibrait, tremblait, palpitait, frissonnait d'extase. Au
fond des noires crevasses, en bas, tout en bas, s'agitant comme des fourmis éthyliques, grouillaient les
hommes de la ville.

Arrivé à Sheridan Square, il abandonna le taxi. Il
se mêla à la foule dont l'animation, à cette heure de
la journée, remontait à la surface comme une mousse
rosâtre et crémeuse. A l'instant même, dans tous les
coins du monde, des gens rêvaient, parlaient de New
York. New York ! Qu'y avait-il là pour fasciner les gens

de manière aussi stupide ? Les tourbillons et les glissades sur les trottoirs ? Les somptueuses prisons qui masquaient le ciel, les relents fétides, le tohu-bohu... Quoi... ? Quoi, en fait ? Il était là, en plein cœur de tout ça, sans même ressentir un soupçon de joie ou d'orgueil. Les superbes femmes de New York... Où étaient-elles ? Sur les visages, il ne voyait s'étaler que la monotonie d'une rangée de tombes, surchargées de couronnes au parfum éventé ; elles allaient et venaient comme des poupées de son propulsées par une lampée de gin, des vierges de cire sans virginité, des maniaques des soldes démangées par le prurit de la possession, leur visage froid, calculateur, affichant en permanence la mention « A louer ».

Sur le seuil des cabarets se tenaient des personnages ridicules, affublés de tenues ridicules. Comment aurait-on pu soupçonner que le pauvre diable frôlé dans l'entrée serait trop heureux de se débarrasser d'un cadavre pour un billet de cinq dollars, que la première femme rencontrée abritait dans son corps les germes actifs de toutes les misères vénériennes, ou que ce gentleman aux façons délicates, à l'oreille en chou-fleur, qui vous conduisait jusqu'à votre table, était un Borgia au énième degré ? Sous le velours se dissimulaient sans doute assez de revolvers pour décimer un corps d'armée.

Non loin de Jefferson Market, il arriva devant un modeste immeuble de trois étages ; il était entièrement plongé dans l'ombre, à l'exception d'un rai de lumière, mince comme une lame de couteau, filtrant par les prises d'air, aux fenêtres du demi sous-sol. Il se dirigea vers la lourde grille de fer et sonna. Le propriétaire lui-même apparut à la porte, jeta un coup d'œil au travers du grillage et, ayant hoché la tête en signe de reconnaissance, alluma une lumière rose dans l'entrée puis vint ouvrir la grille.

A l'intérieur, c'était la cohue. C'était toujours la cohue. Au fond du sous-sol se trouvait la cuisine et, sur le devant, un bar à peu près de la dimension d'un cercueil. Un agréable bruissement de conversations emplit doucement son oreille ; les visages étaient chaleureux, les boissons colorées, alléchantes. Il demeura un moment immobile sur le seuil, s'imprégnant du rayonnement chaud et liquide qui baignait la pièce. Au bar, on se pressait sur trois rangées, les femmes plus nombreuses que les hommes. Tout le monde paraissait joyeux, un peu ivre. Une femme se grattait le derrière ; elle vit qu'il la regardait, mais cela n'avait aucune importance, c'était son derrière à elle, et elle avait le droit de le gratter, puisqu'il lui démangeait. A sa manière, une proclamation d'émancipation.

Comme il allait gravir l'escalier qui menait à la salle à manger, une femme grande et bien faite, allumée comme une guirlande de Noël, commença de descendre en se dandinant. Elle lui décocha un sourire appuyé, lui faisant signe de se ranger. Sa robe tombait bas sur sa gorge, et montait haut sur ses jambes ; elle ne cessait de la retrousser, comme si elle craignait de trébucher. Lentement, avec mille précautions, elle descendit l'escalier, raide comme un piano de concert. Elle gardait un sourire figé sur les lèvres, qui évoquait le sourire des paralytiques. Il plongea son regard dans le sien, puis un peu plus bas, sur la profusion de chair qui s'étendait des genoux à la taille. C'était de la viande dense, olivâtre, comme lustrée, avec ici et là un reflet sombre. Son regard remonta des cuisses au visage, redescendit. Elle retroussa sa jupe un peu plus haut ; son sourire s'élargit. Elle mettait des siècles à se transborder jusqu'au bas de l'escalier. Elle n'était pas seulement allumée, elle était incendiée.

— Un verre ? proposa-t-elle, dès qu'elle se fut rendu

compte qu'il n'y avait plus de marches. Il tenta de refuser poliment. Oh, allez... un petit verre, insista-t-elle, et il sentit une cuisse pressée contre la sienne.

— D'accord, dit-il, mais un seul.

— Grands dieux, non ! s'exclama-t-elle. Un seul, ça ne vous fera rien. On va en boire plein. Je suis là-haut, avec une bande de vieilles poules. Régulièrement, nous tenons notre assemblée des vieilles poules... C'est terrifiant, non ?

— Ouais, terrifiant !

— Dites, je n'ai pas l'air d'une vieille poule, n'est-ce pas ? demanda-t-elle, lui serrant le bras avec un enjouement douloureux à voir. Dites-moi, à votre avis, j'ai l'air d'une vieille poule ?

— Je ne dirais pas cela... A part les plumes.

— Les plumes ? Quelles plumes ? Dites donc, ce ne sont pas les plumes qui vous manquent, à vous non plus, repartit-elle, le gratifiant d'une bourrade qui faillit l'envoyer à terre.

Ils commandèrent des martinis. Elle insista pour payer. C'est toujours la femme qui paie. Il la contemplait d'un air niais, se demandant où elle pouvait mettre tout ça. La pièce tournait autour de lui ; il lui fallait regarder sa bouche pour comprendre ce qu'elle disait. Les voix lui parvenaient en une rumeur indistincte, déchirée de temps à autre par le staccato des serveurs. Au bar, on s'agglutinait comme des mouches. Il n'avait pas à se tenir debout ; tout le monde s'appuyait sur tout le monde. Il n'était pas éméché au point de ne pas sentir une main pressée contre sa cuisse, bien qu'il fût incapable de dire à qui elle appartenait. C'était une main brûlante, épaisse, animée de temps à autre d'une espèce de spasme. Bougeant légèrement, il sentit les jambes de la femme se glisser entre les siennes et le serrer brusquement.

— Vous vous sentez bien ? demanda-t-il.

74

Elle sourit ; ses jambes se contractèrent de nouveau.

— Filons d'ici, dit-elle, et elle le conduisit vers l'escalier, le tenant par la main.

— Mon dieu, mais vous avez les mains toutes froides ! s'écria-t-elle. Touchez-moi... Je suis chaude comme de la braise.

L'idée de monter rejoindre une bande de vieilles poules ne le tentait pas du tout. Il fit mine de se libérer.

— Allez, venez, chuchota-t-elle. Je sais ce que je fais.

Quand ils furent arrivés au second étage, elle s'arrêta net. Il aperçut un rai de lumière rose, au-dessus de la porte, au fond du palier. Elle lui posa une main sur la bouche, appuyant de tout son poids, lourde d'alcool. Il leva les sourcils d'un air interrogateur, désignant du regard le rai de lumière rose au-dessus de la porte, tandis qu'elle remuait la tête de gauche à droite, à la manière d'un automate. Soudain, se mordant la lèvre inférieure, elle l'agrippa, se collant à lui. Ce n'est pas vrai ! se dit-il, se sentant faiblir de plus en plus, s'émiettant comme un château de sable. L'instant suivant, il avait deux lèvres collées à son oreille et, dans un souffle brûlant, elle murmura « Ici, maintenant... », l'écrasant contre la rambarde tout en relevant sa robe d'un geste fiévreux, convulsif.

Il marchait. Il ne savait pas où il était : quelque part vers le nord de Manhattan. Il mourait de faim, et son esprit était toujours embrumé. Mais le gel lui faisait du bien, comme une bouillotte de glace. Un million de lumières l'éblouissaient, l'aveuglaient. C'étaient de petites lumières, puis elles grandissaient, et elles fondaient sur lui. Les couleurs étaient vibrantes, dangereuses. Elles se précipitaient sur lui comme une horde de sémaphores.

Une pellicule de glace recouvrait l'asphalte, pas plus

épaisse que l'anneau d'une bague. C'était un miroir brisé dans la houle d'un océan de lumière, un miroir dans lequel toutes les couleurs de l'arc-en-ciel se reflétaient en dansant. Un théâtre émergea soudain ; le hall était pris de vertige. Ce n'était pas un hall, mais un immense entonnoir illuminé, tournant à toute vitesse ; dans cette gorge de cristal tourbillonnant, de longues files d'individus avançaient en ondulant, telles de gigantesques vagues précipitant leurs crêtes empanachées contre le rivage d'une crique. Après l'éclaboussement de chaque assaut, elles se retiraient en un remous précipité, tournoyant, et disparaissaient, avant de reformer une nouvelle montagne qui à son tour enflait sa masse vibrante, sifflante, et se brisait en cubes de lumière tourbillonnants... Par la vitrine d'un drugstore, il aperçut une rangée de cabines téléphoniques. Ces cabines étaient installées là pour que les gens téléphonent.

— Je voudrais parler à Hildred, dit-il, quand il eut obtenu la communication avec le Caravan.

— Elle n'est pas là, fit une voix agressive. Clac. L'écouteur cliqueta comme un pistolet automatique. Il secoua la fourche. « Allô ! Allô ! » Il avait dans l'oreille le murmure des planètes lointaines, dérivant dans le vide moelleux de l'éther. Ce n'est pas la peine, se dit-il, nous suivons des orbites différentes. Le monde n'était qu'un champ d'énergie aveugle, dans lequel microcosme et macrocosme évoluaient selon les caprices d'un monarque fou.

En arrivant à Hyde Park, il était ivre de bien-être. Il sentait le flux et le reflux du sang clair dans ses veines. Au rythme d'un balancier d'horloge, il le sentait monter, descendre, dilatant son cœur, submergeant sa vision, il en sentait la palpitation dans ses membres. Du sang fluide, rouge, éclatant : euphorique, il rendait les hommes sages, lucides, sains d'esprit ; dilué, il apportait la mollesse, les névroses, le désespoir et le vague à l'âme ; coagulé, il provoquait les scintillements diaprés du solipsisme, la terreur de l'épilepsie et du choléra, les hiérarchies de caste, l'ampleur incommensurable de la folie. En un seul globule rouge se trouvaient réunies assez d'énigmes pour confondre toutes les universités scientifiques. Les hommes naissaient dans le sang, et dans le sang ils mouraient. Le sang était puissant, fécond, magique. Le sang était une extase de souffrance et de beauté, un miracle de destruction créatrice, un atome de l'essence divine, peut-être l'essence divine elle-même. Là où coulait le sang, la vie était forte. Là où un chant s'élevait, le sang coulait, et là où la foi s'élevait, le sang coulait. Le sang coulait dans un coucher de soleil, dans les fleurs des champs, dans le regard des maniaques et des prophètes, dans le feu des pierres précieuses. Partout où étaient la vie et les chants, l'ivresse, la foi et le triomphe, était le sang.

Dans cet état d'excitation sacrée, il se posta devant le Caravan, sur le trottoir d'en face. Il était environ minuit. Des groupes de flâneurs, alléchés par l'écho des réjouissances qui leur parvenait par les fenêtres entrouvertes, s'accrochaient à la balustrade, devant l'établissement. Bientôt, il vint lui aussi s'y appuyer. Le privilège de goûter le spectacle de l'extérieur lui procurait une étrange allégresse.

Quand Hildred dénichait par hasard un individu intéressant, elle l'emmenait jusqu'à une petite alcôve, dans le coin jouxtant la fenêtre. Là, les coudes bien calés sur la table, elle s'employait à plonger son regard admiratif dans le regard de celui qui, provisoirement, l'avait fascinée. Si, comme cela s'était déjà produit, elle détournait les yeux un instant pour regarder machinalement par la fenêtre, offrant un visage ravi, inconsciente des vagues silhouettes pressées derrière la rambarde, Tony Bring se tendait involontairement vers elle, attendant, le cœur ivre d'émotion, de voir s'allumer une lueur de reconnaissance dans son regard lumineux.

Mais ce soir, l'alcôve dans laquelle Hildred, telle une sainte patronne, se tenait enchâssée, demeurait vide. Il entra, commanda quelque chose à manger. Il trouva un cafard dans l'assiette, mais il avait trop faim pour attendre une autre commande. Bientôt, Earl Biggers fit son entrée, et de sa masse imposante se fraya un chemin entre les tables, comme un bloc de granit dévalant le flanc d'une montagne. Il était accompagné d'une femme à l'allure vulgaire, qui se faisait passer pour une *vedette* française. Il la reconnut immédiatement, d'après la description que Hildred lui en avait faite un jour. Comme elle le disait, cette femme avait un petit quelque chose dans les yeux, dans la bouche, qui la rendait attirante, en dépit de sa vulgarité. Il était de notoriété publique qu'elle nourrissait une passion pour les hommes robustes et athlétiques. C'était aussi la plus mauvaise langue qu'on eût jamais entendue sur une scène d'Amérique — un compliment de première grandeur, si l'on songe à la compétition que cela représentait.

Il l'observait attentivement, tandis qu'elle parcourait l'assemblée de ses grands yeux malfaisants. Il était difficile d'appeler cela des yeux, car ce n'étaient pas tant des organes de perception que d'immenses réservoirs de lumière tournants qui, dirigés avec art, déversaient un flot argenté sur la guirlande des visages. Si une de ces réflexions déplacées qui tombaient en permanence de ses lèvres éveillait une quelconque riposte, ses narines se dilataient et se mettaient à frémir, exactement comme celles d'une jument.

Quelqu'un lui montra un livre.

— Je l'ai lu, dit-elle, et l'émail de ses dents brilla d'un éclat lascif.

— L'avez-vous aimé ? lui demanda-t-on.

— Si je l'ai aimé ? Eh bien, en arrivant à la fin, je me tripotais toute seule.

Earl Biggers rougit.

— Tu es un amour, dit-elle. Tu es si fort, si sain, que tu vas te gâter, si on ne s'en occupe pas. Et elle lui enserra les jambes sous la table.

A cet instant, une femme d'assez fâcheuse réputation, un monocle enchâssé dans l'œil, fit son entrée. Biggers la désigna comme la maîtresse d'une des plus célèbres actrices de Broadway.

— Tiens donc ! aboya-t-elle, assez fort pour que tout le monde puisse l'entendre. Dites, j'aimerais bien qu'on me présente cette poulette. Ça, c'est un truc que je n'ai pas encore essayé.

Celle à qui cette remarque s'adressait indirectement, loin de se sentir insultée, présenta aussitôt son meilleur profil. Tony Bring regarda le cafard qu'il avait déposé sur le bord de son assiette. Il avait perdu tout appétit.


Hildred était déjà déshabillée lorsqu'il rentra. Elle avait le visage couvert de *cold-cream*, et une cigarette pendait à ses lèvres.

— Où étais-tu ? demanda-t-elle. Elle semblait bouleversée.

Avant qu'il ait eu le temps de répondre, elle enchaîna :

— Mon dieu, je ne sais pas quoi faire... Vanya a disparu.

— Excellente nouvelle, dit-il. J'espère qu'elle s'est fichue à l'eau... Quant à toi, continua-t-il, sais-tu ce

79

que je pense de toi ? Je pense que tu es cinglée. Je pense
que, si j'avais le moindre bon sens, je te ligoterais et
je te dérouillerais à mort. Et je pense que moi aussi,
je suis cinglé, pour avoir supporté ce que j'ai supporté.
Je le jure devant Dieu, si cette femme réapparaît, je
l'estropie. Et je m'occuperai de toi aussi, tu peux me
croire. Tu m'as rendu fou, avec ta putain de Vanya,
Vanya par-ci, Vanya par-là... Qu'elle aille au diable,
Vanya ! Tu dis qu'elle a disparu ? Parfait. J'espère
qu'elle est crevée. J'espère qu'on n'en retrouvera même
pas un ongle d'orteil. J'espère qu'elle est coincée dans
un égout, en train de nourrir les rats. Je me moque
que tout New York soit empoisonné, si l'on est débar-
rassé d'elle, et pour de bon...

# 6

Oui, elle avait disparu. Totalement disparu, comme si la terre s'était ouverte pour l'engloutir. La nouvelle était à peine ébruitée que déjà l'on prétendait qu'elle se trouvait à Taos, information aussitôt démentie par une autre rumeur selon laquelle on l'aurait rencontrée dans une fumerie d'opium de Pell Street. Puis, un beau jour, une lettre arriva : « Chère Hildred, disait-elle. Je suis internée ici, en service psychiatrique. Une des infirmières a eu la gentillesse de faire sortir ce mot en cachette. Je t'en prie, viens tout de suite, je vais devenir folle si je reste ici un jour de plus. L'infirmière dit qu'on me relâchera si quelqu'un se porte garant pour moi. Apporte des vêtements — *quelque chose de féminin.* »

Ce message parvint à Hildred au Caravan. Sans attendre, elle entraîna une des filles à l'écart et lui emprunta un tailleur et un chapeau. Dans le cabinet de toilette, elle ôta la vaseline de ses paupières, les épais traits charbonneux de ses sourcils, l'alizarine de ses lèvres, et la couche de poudre verte de ses joues. Puis elle se dépêcha de filer acheter une paire de bas de soie et une culotte.

Ainsi, dans une tenue relativement sobre par rapport à l'habitude, elle se présenta à l'hôpital. Le Dr Titsworth, vers qui on la dirigea, avait l'allure habituelle des fonctionnaires de l'administration publique.

Une femme d'âge mûr, sa secrétaire apparemment, allait et venait d'un air affairé, avec une componction de cadavre. Elle était dotée d'une panse proéminente, au-dessus de laquelle elle épiait le monde au travers d'épaisses lunettes. Hildred lui accorda un bref coup d'œil, et lui tourna le dos.

Le sous-secrétaire chargé des Malades mentaux fit son entrée.

— Vous souhaitez rencontrer le Dr Titsworth ?

Hildred hocha la tête.

— A quel sujet, je vous prie ?

— Je le lui dirai de vive voix.

— Mais il est occupé, pour le moment.

— Alors, j'attendrai.

Elle s'assit sur un banc dur et luisant. Le hall était immense, désert, avec des fenêtres de maison de redressement. Elle devenait folle, à force de regarder les murs nus ; elle imaginait ce que Vanya ferait de cet endroit, si on lui donnait carte blanche. Elle haïssait les fenêtres de verre teinté ; cela lui rappelait les églises et les cabinets.

Bientôt, le grand patron fut introduit. Il avait le crâne de Jules César, et le nez arrogant d'un tsar. Il tendit sa main ; on aurait dit un morceau de rosbif froid. Ils s'assirent, et Hildred expliqua, brièvement et calmement, les raisons de sa présence. Tandis qu'elle parlait, il tambourinait sur le bras de son fauteuil, de ses longs doigts fuselés.

— En quoi êtes-vous habilitée à demander sa sortie ? s'enquit-il.

Hildred répondit qu'elle était sa tutrice légale.

— Ah, je vois. Et quel est votre âge, si je puis me permettre ? Ses petits yeux perçants la vrillaient de part en part. C'était là une attitude qu'il avait l'habitude de prendre face à ses patients. Elle était destinée à mettre les gens mal à l'aise.

Hildred tripota machinalement les gants de daim qu'elle avait empruntés, et couvrit ses genoux en un geste féminin parfaitement imité. Le Dr Titsworth émit une toux discrète. Il rappela à Hildred, d'un ton très amène, qu'il lui était entièrement loisible de restreindre la liberté d'action du malade s'il en avait envie, ou plutôt, s'il était convaincu que cela était toujours nécessaire. Hildred écoutait, grave, pleine de respect ; elle posa soudain une main sur la sienne, en un geste tout à fait involontaire, et se confondit aussitôt en excuses. De toute évidence, elle était complètement bouleversée ; jamais elle n'avait dû affronter une situation aussi délicate.

— Docteur, dit-elle (et ses yeux étaient semblables à deux anges éplorés), toute cette histoire me dépasse complètement. Je n'y comprends rien. Je suis totalement désarmée, et consternée. Cependant, docteur, n'aviez-vous pas quelques questions à me poser ?

Titsworth appela immédiatement sa secrétaire et se fit apporter un questionnaire dactylographié, établi d'avance, qu'il posa distraitement sur ses genoux, permettant à Hildred d'y jeter un rapide coup d'œil. C'étaient les habituelles questions idiotes qui, plus que les réponses, appellent le coup de tampon, le cachet officiel, et le paraphe illisible de témoins illégitimes.

Soudain, son regard en vrille glissa sournoisement.

— Eh bien, dites-moi, je vous prie, depuis combien de temps se drogue-t-elle ? demanda-t-il d'un ton froid.

— Comment, docteur ! Hildred paraissait non seulement stupéfaite, mais outragée.

— Allons, allons, fit-il. Pourquoi délirait-elle à propos de Nietzsche, quand on nous l'a amenée ? Pourquoi répétait-elle que Nietzsche l'avait rendue folle ?

— Mais, docteur...

— Vous savez, je suppose, que votre pupille a été violée, l'autre nuit, continua-t-il d'un ton animé.

Hildred eut un haut-le-corps, suffoquée.

— Cela, vous ne le saviez pas, hein ? fit-il. Pourquoi l'avez-vous laissée seule cette nuit-là ? Pourquoi n'avez-vous pas prévenu la police ? Pourquoi... ? Les questions tombaient sans cesse, il semblait que cela ne dût jamais finir. Puis, comme s'il avait eu son quart d'heure de récréation, il cessa brusquement et, appelant une infirmière, il lui donna un ordre bref.

Il sembla à Hildred qu'un instant à peine venait de s'écouler, et soudain Vanya fut là, debout sur le seuil, hésitante tout d'abord, puis brusquement exultant de joie. Ses cheveux avaient poussé ; il y avait quelque chose de presque sanguinaire dans son apparence.

— Hildred ! s'écria-t-elle. Tu es venue ! Et elle lui tomba dans les bras, la renversant presque.

— Du calme, Vanya, du calme, chuchota Hildred, tandis qu'elles demeuraient agrippées l'une à l'autre.

— Mon dieu, Hildred, je pensais que tu ne viendrais jamais. J'ai passé toute la journée les yeux rivés sur l'horloge... Il faut que tu viennes jusqu'à la salle avec moi ; elles meurent d'impatience de te connaître. Attends que je te présente à George Washington... Elle est à mourir !

— Attention, Vanya, dit Hildred, lui donnant un coup de coude discret. Puis, élevant la voix : Tu es très nerveuse, ma chérie. Cela a dû être une terrible épreuve pour toi. (Vanya lui prit la main, la serra dans la sienne.) Ne t'inquiète pas, continua Hildred, tout est arrangé. Tu rentres à la maison avec moi.

Titsworth assista à toute la scène sans piper mot. Comme elles se dirigeaient vers la salle, un groupe d'infirmières traversa la hall.

— Salut, salut tout le monde ! Je pars... Je pars !

s'exclama Vanya. Puis, serrant le bras de Hildred, elle lui chuchota : Tu vois, cette petite blonde... Elle a le béguin pour moi. C'est comme ça que j'ai pu te prévenir.

Tony Bring fut informé de la nouvelle sans tarder. Hildred annonça immédiatement son intention d'installer sa pupille à la maison. Il y eut une scène. Durant au moins une heure, ils ragèrent, tempêtèrent. Enfin, il abattit son poing sur la table. « Non ! » dit-il. « Non, c'est non ! »

Puis Vanya fit une apparition impromptue. Elle lui parla avec douceur, avec une tristesse voilée. Ses yeux demeuraient un peu hagards, agrandis, comme deux larges cercles instables, flottant sur une encre verte. Ses paroles gardaient encore les échos de ce discours étrange dont Titsworth avait parlé à Hildred. Elle n'était plus la même. Il y avait en elle quelque chose de soumis, d'effrayé.

Certains jours, Hildred ne faisait plus rien, si ce n'est emmener sa pupille au théâtre ou au concert. Cela impliquait, inévitablement, les frais de taxi, et les petits à-côtés, comme les gardénias et les orchidées. Si Vanya émettait l'ombre d'un soupir, Hildred en était perturbée. Ses caprices les plus futiles étaient immédiatement satisfaits. Ainsi, lorsque Vanya exprima le désir de se remettre à peindre, Hildred se rua dans les magasins et revint avec une panoplie stupéfiante, un matériel complet, et de tout premier choix. Un chevalet ordinaire n'aurait pas convenu. Pas pour un génie. Il fallait qu'il échappe à la médiocrité du chevalet courant. Celui qu'elle rapporta à la maison était une création alambiquée, une pièce d'artisanat javanais qu'elle s'était procurée pour une bouchée de pain, disait-elle. Tout ce qui était cher, elle se le procurait toujours pour une bouchée de pain.

Un jour, regardant la situation bien en face, Tony Bring se demanda quelle différence cela pouvait bien faire, s'ils instauraient clairement *un ménage à trois*. Certes, il avait refusé que l'on fît venir chez eux la malle de Vanya. Et alors ? Cela l'empêchait-elle de dormir avec eux, d'utiliser la même baignoire, de porter ses cravates à l'occasion, ou de critiquer l'intendance de la maison ?

# 7

« C'étaient *eux* les dingues, pas moi ! Ils m'ont gardée ligotée pendant je ne sais combien de temps. Je ne pouvais plus respirer. Je les ai suppliés de me détacher — ne fût-ce que cinq minutes —, mais ils se sont contentés de me rire au nez. Dans le lit voisin, il y avait George Washington. "Laisse-moi t'appeler chérie, je t'ai-ai-me..." Jour et nuit, elle chantait ça. Elle me rendait folle, cette bonne femme. Tout la journée, toute la nuit — *chérie, chérie*. Je ne pouvais plus supporter. J'ai fini par exploser.

« Nom d'un chien, savez-vous quelle impression ça fait d'être attachée ? Non, vous ne savez pas ! Vous ne pouvez pas imaginer ce que c'est. On donne des coups de pied, on hurle, on jure... Ils viennent, ils secouent la tête... Ils rient. Ils vous font croire que vous êtes folle, même si vous ne l'êtes pas. Au bout d'un moment, on n'en peut plus... on se calme. Alors, on prie. On ne sait pas ce que l'on dit, mais on implore, on geint, on se tord comme un ver. Et puis ils reviennent, et ils vous contemplent d'un air stupide, avec leurs yeux glacés, leurs yeux de lézard, et ils crient "Du calme ! Silence !" Vous tempêtez, vous les injuriez, vous les suppliez, vous promettez n'importe quoi, mais ils se contentent de répéter "Du calme ! Silence !"

« Regardez ! Vous voyez ces marques ! Voilà ce

87

qu'ils m'ont fait, ces immondes salauds. Attendez...
J'en ai d'autres à vous montrer. Hildred, tu as vu mes
seins... tu as vu ce qu'ils m'ont fait ? Un jour, je les
tuerai, ces ignobles brutes.

« Ils se souviendront de moi, je vous le garantis !
Deux fois, je me suis libérée. La deuxième fois, j'ai aussi
détaché George Washington. Ça a été la folie dans toute
la salle. On a cassé les fenêtres, on a dansé, on a
chanté... On leur a flanqué une trouille du feu de Dieu,
vous pouvez me croire... »

Le cerveau enfiévré de Vanya se convulsait comme
une grenouille sous le scalpel. Bien qu'elle eût déjà
narré son histoire quatre ou cinq fois, elle insistait pour
la raconter de nouveau. Elle tenait à ce qu'ils sachent
tout... Elle craignait toujours d'avoir omis tel ou tel
détail.

Qu'était-il arrivé, la nuit où Hildred avait abandonné
son amie Vanya ? Pourquoi Hildred l'avait-elle laissée partir avec un inconnu, alors même qu'elle était
ivre, incapable de faire attention à elle ? Était-elle
jalouse de cette amie si chère, ou bien avait-elle rendez-
vous avec quelqu'un d'autre ? Et pourquoi était-elle
si certaine que Vanya avait disparu ? C'étaient là
quelques-unes des questions que Tony Bring se posait,
sans pouvoir trouver de réponse. C'est lui qui avait
incité Vanya à raconter ce qui s'était passé. Il l'avait
encouragée insidieusement, avec doigté, malgré les pro-
testations de Hildred. Il faisait semblant d'être touché,
il applaudissait aux moments dramatiques, la rasséré-
nait quand elle était sur le point de s'effondrer. Il
s'excusait et filait à la salle de bains pour prendre des
notes. De retour, il s'employait à retendre le ressort,
lui rappelant des éléments qu'elle avait oubliés, mettant le doigt sur une contradiction, l'approuvant alors
même qu'elle mentait, il le savait...

Voici, brièvement, l'histoire telle qu'elle pouvait être reconstituée : Vanya, Hildred, et cet homme, un parfait inconnu, avaient pris quelques verres ensemble, au Caravan. Puis Hildred partit brusquement après une altercation stupide avec Vanya.

L'inconnu proposa alors à Vanya de la raccompagner jusqu'à sa porte. Une fois dans le taxi, il demanda au chauffeur de les conduire dans le quartier nord. Vanya le supplia de la ramener chez elle mais, sans l'écouter, il entreprit de la hisser sur ses genoux. Une bagarre s'ensuivit. Avant qu'elle eût compris ce qui arrivait, elle se retrouva par terre au fond du taxi, l'homme sur elle, en train de la frapper et de lui tordre les bras. Quand elle revint à elle, elle gisait sur le trottoir, près d'une bouche d'incendie. Elle s'assit et demeura un moment ainsi, assommée, fouillant dans ses poches pour trouver ses clefs. Finalement, elle parvint à se remettre debout et s'éloigna en chancelant. Il y avait un caillot de sang collé à ses cheveux près de sa tempe, qu'elle grignota machinalement tout en marchant.

Elle était incapable de s'orienter — les rues étaient désertes et leur nom inconnu d'elle. Au bout d'un moment, elle vit apparaître, surgissant de l'obscurité et du brouillard, une confusion de coques de navires, de hangars, de cheminées, de mâts. Une vague de terreur impuissante la submergea. Peut-être n'était-elle plus à New York. Peut-être l'avait-on embarquée pour un pays lointain. Bientôt, elle entendit un camion qui arrivait derrière elle. Elle fit signe au conducteur, et le camion s'arrêta. Elle grimpa sur la banquette avant. C'était un camion de déménagement et, outre le chauffeur, il y avait deux hommes assis dans la cabine — des Polonais, pensa-t-elle. Elle les pria de l'emmener jusqu'au pont de Brooklyn. Ils acceptèrent, après quoi plus un mot ne fut échangé. Ils ne voulaient pas savoir ce qui lui était arrivé, ou ce qu'elle faisait là. Rien. Pas un traître mot. Elle était terrifiée. Elle se demandait s'ils l'emmenaient bien vers Brooklyn — sinon... ? Elle ne songeait même pas au moyen de s'en sortir. Elle ne pensait à rien. Elle demeurait silencieuse, tremblante. Il n'y avait plus rien dans sa tête, si ce n'est une terreur vague, paralysante. Il lui semblait que son cerveau s'était transformé en pierre.

Enfin, le camion s'arrêta. Immédiatement, quatre ou cinq malabars surgirent de l'arrière. L'un d'eux tendit le bras et l'arracha du siège, pour la transporter dans un bâtiment. L'obscurité était totale. Quelqu'un craqua une allumette et mit la main sur une bouteille plantée d'une bougie, dans un coin. Les hommes commencèrent à discuter, échangeant des phrases brèves, à voix basse. Elle ne comprenait pas un traître mot. On aurait dit qu'ils mélangeaient plusieurs langues.

Pendant ces quelques minutes, elle n'avait pas ouvert la bouche — elle n'avait même pas esquissé un geste de protestation. « Il faut que j'appelle au secours », se dit-elle soudain, et elle tenta de pousser un cri, mais ne parvint à tirer de sa gorge qu'une faible plainte éraillée. Immédiatement, une main lourde et velue, collante de sueur et de crasse, vint se plaquer sur sa bouche. Presque simultanément, elle était dépouillée de ses vêtements. Un instant, ils l'abandonnèrent ainsi, debout, pieds nus, tandis qu'ils rapprochaient leurs têtes pour un conciliabule hâtif et incompréhensible. Ses bas glissaient le long de ses jambes ; elle se pencha pour les remonter. Pendant une minute peut-être, elle demeura ainsi, nue, les bas bien tirés. Tout à coup, un bras passa derrière ses genoux, on la poussa en arrière. Elle sentit sa colonne vertébrale se briser en heurtant une table ; une main se posa sur sa bouche, l'étouffant. Elle sentit une courroie froide sur son ventre, que l'on serrait d'une secousse rapide, mauvaise. On lui prit les mains, pour les lui attacher de chaque côté du corps. Ses jambes étaient libres et, ne sachant plus quoi faire d'autre, elle se mit à lancer des coups de pied éperdus. Elle se débattait toujours quand un poids terrifiant s'abattit sur elle. Tout devint noir...

Quand elle ouvrit les yeux, elle avait un goût de cognac dans la bouche. Elle recommença de lancer des coups de pied et, de nouveau, le poids s'abattit sur elle... Puis une fois encore, et encore, et encore... Comme si tout un régiment défilait dans la pièce.

Quand elle revint de nouveau à elle, elle était allongée dans le caniveau, le long du quai. Elle hurla, aussi fort qu'elle le pouvait, mais personne ne vint. Elle hurla plus fort, plus fort encore. Enfin, des pas résonnèrent, puis une matraque s'abattit, dans un bruit assourdissant, qui vibrait dans sa tête. Une fois encore, elle sombra. Puis il y eut des boutons qui brillaient dans l'obscurité, et un homme penché sur elle. Son haleine empestait. Dans ses yeux, il y avait des bouteilles vertes qui dansaient. Les roues se remirent à tourner en grinçant, à la secouer, sa colonne vertébrale se brisait, et elle les suppliait de ne pas la broyer, de ne pas la réduire en miettes. On l'emporta dans une pièce obscure. Il faisait froid, elle sentait ses bas qui glissaient. Des ombres fondaient sur elle, émanant des murs boursouflés, et une main molle, spongieuse, qui sentait le Lysol, vint se plaquer sur sa bouche. Elle tenta de se débattre, mais ses membres étaient pris dans un étau, un étau de glace, des tonnes de glace l'écrasaient, brûlant de froid sur sa chair. Au bout d'un moment, les ombres disparurent, et elle tenta de se libérer de ses liens, avec un acharnement méthodique. La douleur fulgurait dans ses membres, ses muscles étaient tordus, noués, et sa colonne vertébrale... Elle avait l'impression que sa colonne vertébrale avait été brisée à coups de hache. Elle attendait que l'on vienne, qu'on lui verse du cognac dans la gorge, qu'on la ramasse, qu'on la jette au sol de nouveau. Mais personne ne vint.

Elle rêvait. Elle rêvait qu'elle avait rêvé tout ça. Mais lorsqu'elle s'éveilla, elle était toujours clouée, immobilisée, et il y avait des gens debout autour de son lit, des hommes et des femmes au visage mauvais, aux oreilles murées. Ils se regroupaient, passant d'un côté à l'autre, s'avançant soudain, comme prêts à basculer sur elle, puis s'éloignaient ; ils faisaient cercle, comme des anges au-dessus de sa tête, se posaient sur sa poitrine avec leurs gros derrières ; ils sombraient, puis s'alignaient plus nombreux soudain, comme une colonne de chiffres. « Du calme ! » disaient-ils. « Silence ! » Si elle tentait de les repousser, elle ne pouvait remuer les membres. Elle était paralysée.

Pendant des heures et des heures, personne ne vint ; les murs devenaient compacts, blancs, rien ne changeait. Cette monotonie la rendait folle ; elle savait qu'elle était folle, car quand on n'est pas fou, il arrive des choses ; les murs ont des portes, des portes qui s'ouvrent, il y a du soleil et des parfums, des gens qui passent, des voix, et l'on peut bouger les mains... Plus tard, beaucoup plus tard — elle eut l'impression que des semaines s'écoulaient —, les visages réapparurent. Ils étaient différents, à présent, plus amicaux, et un peu moins sourds. Ils défirent ses liens, la touchèrent doucement. C'étaient bien des anges, mais des anges cinglés, cinglés. Elle demanda de l'eau, et ils lui citèrent un passage de *Zarathoustra*. Et, tandis qu'ils récitaient, s'éleva soudain une voix étrange, cassée, qui chantait faux, la voix d'un ventriloque buvant un verre d'eau. Les anges se mirent à chanter aussi. Ils chantaient à l'unisson, roulant des yeux lubriques. Même quand ils furent partis, le chant persista, émanant d'abord d'en haut, du plafond, puis directement de sous son lit. On aurait dit qu'ils chantaient dans le pot de chambre ; le pot de chambre se fêlait. Toujours le même air délabré, toujours les mêmes paroles poisseuses... Encore et encore, comme un phonographe enfoncé dans le ventre d'un automate, et qui arriverait en bout de course.

TROISIÈME PARTIE

# 1

La nuit tomba. Il fuyait ses propres pensées. Hildred était passé avec Vanya, puis elles étaient parties, ou plutôt elles s'étaient enfuies après une scène honteuse, qui s'était soldée par des injures et des menaces de sévices.

Il laissait ses pensées errer lugubrement, passant d'un souvenir sordide à un autre. Le temps s'écoulait, mais il ne bougeait pas ; sa poitrine était vide, ses membres disposés comme si, déjà, il avait fait le geste final, comme s'il avait sombré dans un sommeil profond, éternel. Est-ce donc ainsi à la fin, quand vos yeux deviennent fixes, ronds et vitreux, et que tous les bruits de la terre s'évanouissent ?

Les ombres de la nuit s'étendaient, se déployant sur le mur en une sinistre fantasmagorie. Il fixait sur elles un regard agrandi, douloureux ; voilà qu'elles se mettaient à trembler, et que toute la pièce commençait à danser légèrement. Un flot de phrases familières lui vint aux lèvres : *Un nom de bien vaut plus qu'une onction précieuse, et le jour de la mort plus que celui de la naissance... Les morts ne savent rien, et toute récompense leur sera refusée ; car leur mémoire est oubliée.*

Il songeait à Bob Ingersoll sur la tombe de Napoléon, un torrent de paroles aux lèvres ; il songeait à tous les mécréants qui s'étaient repentis sur leur lit de mort, et une voix résonnait à son oreille : « Comment le sage meurt-il ? Comme le fou. »

Les phrases bondissaient hors de son esprit dans un brouillard confus, comme si tous les matins de tous les dimanches passés à l'église s'étaient enchevêtrés en un rêve unique, dont plus rien ne restait que l'écho sonore d'une voix presbytérienne, vomissant les ordures de la grâce séculaire. Un parfum de lotion capillaire lui emplit les narines, et il sentit de nouveau le contact d'une moustache drue pressée contre ses lèvres. Une voix mielleuse, persuasive, lui chuchotait quelque chose, mais il ne voulait pas regarder, car la gorge du vieil homme était semblable à un sépulcre béant.

Il se tint devant la fenêtre ouverte, s'exposant aux rafales, frissonnant. C'était l'hiver. Tout était mort. Un sommeil profond, sans douleur. Dans la cour se dressait un arbre nu, décharné. Ce serait comique, se dit-il, si en allant à la fenêtre, le matin, Hildred découvrait son corps gelé, enchaîné au ciel comme une malédiction. Mais, au matin, quelle importance cela aurait-il, qu'on le trouvât comme ceci ou comme cela, ici ou là ? Au matin, il aurait rejoint tous les matins qui avaient jamais existé.

Il se coucha, tira sur lui les couvertures. L'engourdissement envahissait ses membres ; il ressentait une douce chaleur, un feu intérieur. Lui restait-il quelques minutes encore, ou seulement quelques secondes ? Il aurait au moins dû laisser un message — on laisse toujours un message, à la fin. Il bondit hors du lit et se mit à chercher frénétiquement un crayon et du papier.

Les mots se ruaient sous sa plume comme sous le fouet, souillant la surface blanche et lisse d'une ligne continue et irrégulière. Comme il finissait d'écrire, il sentit passer sur lui un souffle froid et humide, qui déjà parlait de la tombe. Le crayon lui échappa des mains et, sentant ses paupières lourdes s'abaisser sur ses yeux, il sombra dans un autre temps, dans un monde sans fin, un vide glacé, résonnant des accords désolés d'une harpe de métal.

Par-delà la frange glacée du vide s'élevait une sphère incandescente d'où ruisselaient des rivières écarlates. A présent, il savait que la fin était venue, que dans ce cercle fatal qui se consumait, blême, aucune retraite n'était possible. Il était à genoux, la tête enfoncée dans un limon noir. Soudain, une main le saisit à la nuque et le rejeta en arrière, dans la fange. Ses bras étaient attachés. Au-dessus de lui, enfonçant ses genoux osseux dans sa poitrine, se tenait une sorcière, nue. Elle l'embrassa avec ses lèvres souillées, et son souffle était brûlant comme celui d'une jeune épousée. Il sentit ses bras décharnés resserrer leur étreinte, l'écraser contre ses reins. Ses reins devenaient plus larges et plus doux, son ventre blanc s'épanouissait ; elle était étendue contre lui comme une lourde fleur, les pétales de ses lèvres écarlates lascivement écartés. Soudain, dans cette étreinte de rapace brilla l'éclat vif d'une lame ; la lame s'abaissa, et le sang gicla sur son cou, dans ses yeux. Il sentit ses tympans éclater, et un flot jaillit de sa bouche. Penchant la tête, elle frotta ses lèvres calleuses contre sa joue, puis releva sa face ensanglantée, et de nouveau la lame s'abaissa, courut le long de son visage et plongea dans sa gorge, lui ouvrant largement l'œsophage. D'un geste rapide, précis, elle lui sectionna le lobe des oreilles. Le ciel n'était qu'un immense fleuve écarlate que brassaient des cygnes et des baleines argentées. Une résonance caverneuse, sardonique, emplit le vide, et les cygnes s'abattirent, leurs longs cous vibrant comme des cordes tendues...

La porte s'ouvrit brusquement, avec fracas. Il entendit prononcer son nom. Il se retourna, soupira profondément.

Hildred se jeta sur le lit.

— Tony, qu'as-tu fait ?

Le prenant dans ses bras, elle se mit à le bercer, à le bercer comme un bébé. Une rivière se jetait dans la mer. De nouveau, ils ne faisaient plus qu'un ; il en avait toujours été ainsi, et il en serait toujours ainsi. Rien, rien au monde ne pourrait plus jamais les séparer.

Alors, un coup sonore résonna contre la porte. Hildred se mit à trembler, se contracta dans ses bras.

— Ne bouge pas, chuchota-t-il, resserrant son étreinte. Le coup résonna de nouveau, plus fort cette fois, impérieux, menaçant.

Vanya fait son entrée... à la Modjeska. Elle balaie la scène d'un regard sagace et froid. La voilà debout près du lit, observant la silhouette prostrée comme si c'était une icône de notre seigneur Emmanuel. Elle parle à Hildred, à voix basse, confidentielle, et tout en parlant, elle lève lentement les yeux du lit pour fixer quelque objet invisible, très loin au-delà des murs.

Hildred se pencha vers lui, pleine de sollicitude.

— Vanya veut savoir si elle peut faire quelque chose, dit-elle.

Il l'attira à lui.

— Dis-lui de s'en aller, chuchota-t-il.

Hildred se dégagea et se redressa. Elle regarda Vanya, mal à l'aise.

— Il veut se reposer, dit-elle. C'est cela, Tony, recouche-toi, repose-toi. Nous allons te laisser un petit moment. Nous reviendrons bientôt.

Vanya avait déjà filé. Elle descendait l'escalier.

— Tu reviendras seule ? demanda-t-il.

— Oui, je reviendrai seule, répondit Hildred.

— Alors, prends ça, dit-il, lui fourrant les feuillets froissés dans la main.

## 2

Exactement deux heures et demie plus tard, Hildred était de retour — avec Vanya. Elles rayonnaient. Elles chantonnaient doucement, tout en folâtrant dans la chambre. Elles vinrent se poser au bord du lit et se mirent à le veiller comme deux anges secourables.

— Pourquoi as-tu l'air si malheureux ? s'enquit Hildred. Nous n'avions pas l'intention de rester si longtemps parties.

— Le temps a filé, c'est tout, ajouta Vanya, le regard perdu devant elle, arborant son expression lointaine, avec les membranes qui passaient devant ses yeux.

— J'aimerais que vous demeuriez assises tranquillement, sans parler, dit-il.

— Tu es bien nerveux, dit Hildred, et elle se rappela soudain qu'elle aurait dû rapporter quelque chose avec elle.

Quand elles furent parties depuis un moment, il se leva, ferma les fenêtres, et entreprit posément de s'habiller. Le sac de Hildred gisait sur le bureau, là où elle l'avait jeté négligemment. Les feuillets qu'il lui avait donnés en dépassaient, un peu plus froissés qu'auparavant. Il les prit et, en les lissant, remarqua qu'ils n'étaient pas dans le bon ordre ; ils n'étaient pas non plus dans le désordre qui peut résulter d'une lecture rapide. Il les étala pour les examiner attentivement. Il repérait des marques de pouce. Il y avait des taches de nourriture ici et là, une brûlure de cigarette sur l'un d'eux. Mais d'autres n'avaient absolument pas été touchés.

A présent, il voyait parfaitement comment le temps avait filé. Elles avaient si faim qu'elles étaient allées au restaurant et s'étaient bâfrées. En attendant la commande, Vanya avait probablement suggéré de jeter un coup d'œil sur la lettre. La lettre ? En fait, Hildred l'avait quasiment oubliée. Elles l'avaient lue ensemble, Hildred barbotant péniblement dans les marécages du sentimentalisme, Vanya rejetée en arrière sur sa chaise, faisant des ronds de fumée, et laissant tomber un commentaire de temps à autre : « Je crois que tu l'aimes vraiment », ou encore : « Que veut-il dire quand il t'appelle son vautour ? », etc. Puis le serveur était arrivé avec les plats, et la lettre avait été mise de côté ; on avait renversé un peu de soupe dessus. Sans doute le serveur avait-il eu un sourire en lisant quelques lignes par-dessus l'épaule de Hildred. Après quoi, elles avaient ri et bavardé, fait quelques projets pour le lendemain, voire pour le soir même ; le café était arrivé. Les mégots s'empilaient dans la soucoupe détrempée. Alors, elles avaient certainement entamé une de leurs conversations brillantes, penchées en avant, les coudes bien calés sur la table, dans une attitude qui attirait immanquablement sur elles le regard de tous les dîneurs.

Probablement se reconnaissaient-elles toutes deux comme uniques au monde. Le monde était un endroit sordide, dénué d'intelligence. Et, tandis qu'elles bavardaient ainsi, leurs coudes s'enfonçaient plus profondément dans la table, et le temps fuyait, et elles étaient très heureuses, assises là, toutes les deux, le ventre plein.

Il ferma les yeux, comme pour évoquer plus distinctement cette scène qu'il imaginait. Par moments, ses lèvres remuaient. Il voyait tout très clairement, il dirigeait leurs mouvements, leurs paroles. Comme dans une pièce de théâtre, plus vraie parfois que la réalité même, il pouvait leur faire jouer le rôle qu'elles étaient incapables de jouer par elles-mêmes. Chaque détail ressortait dans une lumière éblouissante, cruelle, jusqu'au tout dernier geste, lorsque Hildred, passant vivement la porte à tambour, le rire aux lèvres, s'était soudain rendu compte qu'elle oubliait quelque chose. Oui, il voyait le serveur courir après elle, avec sa veste graisseuse, brandissant les feuillets froissés.

Elles gravissaient l'escalier en riant, trébuchant dans leur précipitation. Il remarqua la stupeur qui se peignit sur leur visage quand elles le trouvèrent debout, tout habillé, tenant la lettre serrée dans sa main. L'instant suivant, un coup sourd résonnait lourdement dans l'escalier, et un gaillard bien bâti apparaissait sur le seuil, poussant une malle sur le tapis épais.

Il les regarda à tour de rôle, les sourcils froncés.

— C'est ma malle, dit Vanya avec un petit rire.

Il marcha droit sur Hildred, la voix tremblante de rage.

— Qu'est-ce que j'avais dit, à propos de cette malle ?

— Oh, ça n'est pas une heure pour...

— *Débarrasse-moi immédiatement de cette saloperie !*

— Mais Tony...

— *Il n'y a pas de Tony ! Vire-moi ça... Vite !*

Vanya intervint :

— Mais nous n'avons plus d'argent, on ne peut pas la faire remporter...

103

— Ah bon, vous ne pouvez pas ? C'est bien, je vais vous montrer comment faire.

Traînant la malle sur le palier, il la maintint quelques instants en équilibre en haut des marches, puis poussa. Il y eut un fracas de bois brisé. Une porte s'ouvrit brusquement, et une femme sortit de chez elle en hurlant.

— Il devient fou ! s'écria Hildred, et elle dévala l'escalier, entraînant Vanya derrière elle.

# QUATRIÈME PARTIE

Le nouveau logement était vaste et sombre. C'était une ancienne blanchisserie. De l'installation rudimentaire fixée au plafond pendaient des bouts de ficelle qui vous balayaient le front. Un jour pâle, blême, filtrait au travers des rideaux de grosse toile. Hildred détestait le soleil.

Dans l'appentis, à l'extérieur, se trouvait un immense évier de tôle, où s'accumulait la vaisselle sale. Le seul chauffage existant était un foyer ouvert, hors d'usage. Personne ne s'était inquiété de savoir s'il y avait un fourneau à gaz, des penderies, des placards, etc. En dépit des inconvénients, Hildred et Vanya déclarèrent que c'était un endroit fantastique. C'était le genre de tanière qui exaltait leur tempérament de romanichelles.

Dès qu'elles en eurent reçu la permission, elles commencèrent à redécorer les pièces. Les murs verts prirent la teinte de la pechblende, les plafonds se mirent à frissonner sous une couche de peinture violette, les ampoules électriques furent teintées de rose vénitien et gravées de dessins obscènes. Ensuite vinrent les fresques. Vanya s'attaqua d'abord à sa chambre. C'était une petite cellule, séparée du cabinet de toilette par une fenêtre à barreaux. L'armoire de toilette était accrochée juste au-dessus de son lit pliant. Le doux gargouillis de la tuyauterie était un baume pour ses nerfs.

Tandis qu'elle travaillait, les propriétaires, deux sœurs danoises, la contemplaient avec concupiscence. Elles apportaient des sandwichs au cervelas et de la bière et, quand elles eurent fait plus ample connaissance, finirent par sortir de longs cigares noirs qu'elles fumaient paresseusement, avec un air de profonde satisfaction. Vanya ne tarda pas à adopter cette manie. Seule Hildred résista, prétendant que les cigares étaient exécrables. Sans doute l'étaient-ils.

Un jour, Vanya, s'armant de courage, demanda aux sœurs de poser pour elle. Elles furent tout d'abord flattées, mais renoncèrent quand il leur apparut qu'elles devraient poser nues. Avec un peu de persuasion, elles finirent cependant par accepter de poser — non pas nues, mais en combinaison et culotte. Et ainsi, jour après jour, elles demeurèrent immobiles, tremblantes, le cigare à la bouche, dans la pose suggestive d'une bacchanale. Tel un peintre chinois représentant scrupuleusement une assiette cassée, Vanya peignit ces madones affamées, vérifiant chaque ride, chaque sillon, chaque verrue.

Bientôt, les murs de leur chez-soi se mirent à onduler, à crier et à danser. L'imagination de Vanya était inépuisable. Tout au fond, accolé à l'appentis, un cercle de gratte-ciel effondrés inaugurait la fable ; dans les espaces libres, sur un gazon de velours, on voyait les habitants de la mégalopole, épuisés, se livrant à leurs agissements de dégénérés. Quittant cette Sodome, on sautait d'un bond dans la Gomorrhe de Paris — Paris, avec ses kiosques et ses vespasiennes, ses quais et ses ponts, ses boulevards en effervescence et ses zincs de bistrots. En regardant un étroit panneau, sous le mot « Montparnasse », on avait l'impression d'être dans un

108

urinoir couvert d'avis municipaux. Un tableau présentait, les unes au-dessus des autres, des illustrations expliquant de manière imagée les effets désastreux des infections vénériennes. En parcourant les pièces l'une après l'autre, on obtenait une coupe douloureuse de notre civilisation : il y avait la machine, le ghetto, les antichambres grandioses des richards, les bars clandestins, le journal comique, le dancing, les asiles d'aliénés — tout cela fondu en un maelström de couleurs et de rythme. Et, comme si cela ne suffisait pas, un espace particulier était réservé au *fantastique*. Là, Vanya s'autorisait toute liberté pour représenter son inconscient. Des fleurs y poussaient, chargées d'énormes organes humains ; des monstres y surgissaient des profondeurs, le menton ruisselant de bave, s'accouplant sans vergogne. Des façades de cathédrales se dressaient, d'où jaillissaient d'énormes mamelons débordant de lait, gonflés à éclater ; des enfants faisaient la leçon aux vieillards, le Coran ou le Talmud pendu à la ceinture ; des mots imprononçables flottaient dans un ciel ivre de sang, où des Zeppelins dérivaient à l'envers, pilotés par des types aussi singuliers que Pythagore et Walther von der Vogelweide ; des lamantins et des séricoles se baladaient de conserve, peignant des couchers de soleil avec leur queue.

Tony Bring contemplait tout cela d'un œil incrédule, applaudissait, émettait une suggestion de temps à autre, s'émerveillant sans cesse devant la fécondité de ce génie aux ongles sales.

Seul, il sombrait dans ses habituelles ruminations végétatives ou traînait d'une pièce à l'autre, morose, laissant son regard errer sans but sur les murs. Lorsque Hildred rentrait (elle allait toujours au Caravan), il s'asseyait en face d'elle, muet comme une carpe congelée. Il était semblable à un chiffre sur une ardoise, qu'elles choisissaient d'effacer ou non, selon leur humeur. S'il se trouvait en travers de leur chemin, elles le bousculaient, et il se mettait à osciller comme le balancier d'une horloge. Un balancier, un objet qui ponctuait leurs allées et venues. Chaque jour, la situation devenait plus instable. Particulièrement quand Hildred était présente. Elle l'interrompait **au milieu** d'une phrase, lui demandait de régler la sonnerie du réveil à l'instant où il prenait un livre. Elle cherchait sans cesse la bagarre, l'effusion, l'extase. Ce qu'elle voulait, c'était l'étincelle, pas la rumination. Les mots... les mots... les mots... Elle s'en gorgeait, les régurgitait, les additionnait, jonglait avec eux, les dorlotait, les mettait au lit, sous son oreiller, comme un pyjama sale, et dormait sur eux. Les mots... Quand tous ses souvenirs se seraient enfuis, seuls ils demeureraient — SES MOTS.

Bien avant qu'il fût l'heure, tel un réveil dont on a avancé les aiguilles, il s'employait à leur rappeler qu'il était temps de se coucher. Vers les cinq heures, tandis que les camions de livraison commençaient leur vacarme et que résonnait le clip-clop familier du cheval du laitier, elles songeaient à se retirer enfin. Puis, alors qu'il était couché avec Hildred et comme ils allaient s'assoupir, Vanya se mettait à rôder dans le couloir, marmonnant toute seule. Quelquefois, elle frappait à leur porte et tirait Hildred du lit, l'entraînant dans le zénana pour y tenir une conversation à voix basse.

Et de quoi parlaient-elles, là-dedans ? C'était toujours la même antienne : Vanya avait des idées morbides... Vanya avait reçu de mauvaises nouvelles de ses parents... Vanya avait de nouveau pensé à l'asile d'aliénés. Parfois, ça n'était qu'une crise de cafard, à cause d'une toile qui venait mal.

110

— Franchement, dit-il un soir, alors qu'ils étaient couchés et se caressaient, je n'aurai donc jamais une soirée seul avec toi ? Faut-il que je te partage toujours avec elle ?

— Mais tu ne me partages pas, répliqua Hildred, se pelotonnant tendrement contre lui.

Il suggéra de sortir tous les deux le lendemain soir, ce à quoi Hildred répondit instantanément que c'était hors de question. De toute façon, elle ne pouvait se permettre de prendre une soirée de congé.

— Mais quand tu auras fini… ?

— Je verrai. Mais pas demain, en tout cas. Demain, j'ai rendez-vous avec quelqu'un.

Un rendez-vous, cela voulait dire de l'argent. Un argument irréfutable.

Assez curieusement, ledit rendez-vous ne devait pas se révéler si important. Quelque chose était arrivé entre-temps, quelque chose de plus important. De manière soudaine… et tout à fait imprévisible, bien sûr… Un de ses anciens clients était passé à l'heure du dîner, et avait offert à Hildred deux billets de théâtre, qui sinon auraient été perdus.

Par ailleurs, tout le monde pensait toujours à lui offrir des violettes. C'était là une chose étonnante. Au moment opportun, il mit sur la table cette histoire de violettes. Mais, une fois de plus, il se trompait — comme toujours. Cet homme ne lui avait pas offert de violettes. Il ne l'avait même pas emmenée au théâtre. C'est Vanya qui l'avait accompagnée.

— Mais qui t'a offert les violettes, alors ?

— Quelqu'un d'autre.

— Ça, c'est sûr, mais qui ?

— Qui ? Eh bien, l'Espagnol, répondit-elle d'un air d'évidence, comme s'il connaissait l'Espagnol depuis toujours, alors qu'il n'en avait jamais entendu parler.

111

Mais sans doute faisait-il erreur, là aussi, car la plupart du temps il ne prêtait aucune attention à ce qu'elle lui disait.

L'histoire des violettes semblait presque vraisemblable. Il y avait toujours un tas de crétins pour passer lui apporter des fleurs. Un jour cependant, après un éclat inhabituel à ce sujet (c'était une de ses vilaines manies que de rouvrir les anciennes plaies), il décida d'avoir une conversation avec le fleuriste, dont la boutique se trouvait à deux pas du Caravan, juste au coin de la rue.

C'était un Grec qui la tenait. Tony Bring entra et demanda d'un air très naturel à voir les violettes que les deux jeunes dames lui commandaient toujours. Le Grec haussa les épaules. Quelles jeunes dames ? Il y avait plein de jeunes dames qui achetaient des violettes.

Tony Bring les décrivit — la longue crinière noire, les jambes nues, le teint verdâtre.

— Ah, ces deux-là ! Bien sour, bien sour. Tenez, c'i cilles-ci !

Quelques heures plus tard, il revenait et en achetait une botte. Il se sentait idiot, en marchant dans la rue avec un bouquet à la main. Il se sentit plus ridicule encore en entrant au Caravan pour l'offrir. C'était l'heure du dîner, et l'endroit était bondé. Hildred l'avait immédiatement repéré ; accourant vers lui, elle lui prit la main et la serra dans la sienne. Puis elle lui prit le bras et le poussa vers la porte. Ils demeurèrent sur la petite terrasse entourée d'une rambarde de fer.

Dans sa poche, il avait deux billets pour *Potemkine*. Elle allait tenter de se libérer, de lui accorder la soirée qu'il réclamait. Il fit deux ou trois fois le tour du pâté de maisons, comme elle l'avait suggéré. Quand elle réapparut, elle affichait une mine désolée.

— Je ne peux pas me libérer, dit-elle. On manque de filles, ce soir.

— Mais tu ne pourrais pas te sentir patraque, tout à coup ?

Nenni. Ils connaissaient le truc par cœur.

Il s'éloigna, l'air abattu. Au coin de la rue, il se retourna. Elle lui fit un petit signe de la main. Elle semblait sincèrement déçue, et elle souriait, cependant.

Il demeura devant l'entrée, observant la foule qui s'engouffrait dans le cinéma. On aurait dit une réunion de sionistes. Personne ne semblait être venu seul. Avisant un jeune couple pauvrement vêtu qui se dirigeait vers le guichet avec empressement, il alla les trouver et leur offrit ses billets. Tandis qu'ils balbutiaient des remerciements, il se détourna et s'éloigna. Il fut englouti par la foule, emporté à une vitesse ridicule. Ils avançaient comme une armée de fourmis se frayant un chemin par une faille du trottoir. Comme il dérivait avec le courant, déviant de temps à autre, le gouvernail échappé de ses mains, sans volonté, tel un fétu de paille à la surface d'un tourbillon, il décida soudain de retourner au Caravan — sans raison précise, sur une pure impulsion.

S'accrochant à la rambarde, il observa la salle au travers de la fenêtre. Il voyait les filles passer et repasser, circulant adroitement entre les tables, balançant leurs grands plateaux en équilibre à bout de bras, faisant parfois une pause pour bavarder avec quelque tombeur de ces dames, habile à glisser le bras autour d'une taille ou à pincer un derrière. Mais il n'y avait pas trace de Hildred. Il entra et s'enquit d'elle. On lui dit qu'elle était partie.

C'était une bien étrange coïncidence, en vérité. Hildred était bel et bien allée voir *Potemkine*, finalement. Le soir même. L'Espagnol avait débarqué sans prévenir, à la dernière minute, juste au moment où l'une des filles, qui, malade, avait dû s'absenter, arrivait pour

113

reprendre son service. Et, aussi étrange que cela pût paraître, il avait lui aussi deux places pour *Potemkine*. N'était-ce pas un hasard extraordinaire ? Tout à fait extraordinaire. C'est ainsi que les choses arrivaient, dans la vie. Et, bien sûr, il aurait été absurde de refuser. D'ailleurs, n'était-elle pas allée au cinéma avec l'espoir de l'apercevoir quelque part dans la foule ?

Quand il avoua ne pas y être allé, elle parut stupéfaite.

— Tu n'y es pas allé ? répétait-elle. Elle ne comprenait pas. Mais enfin ! s'exclama-t-elle, c'est un film magnifique, magnifique ! Quand les Cosaques descendent l'escalier qui mène au quai, et qu'ils s'arrêtent comme des automates, et qu'ils tirent sur la foule ! Et la foule qui se disperse !

Et de décrire avec force détails la manière dont une voiture d'enfant dévale sans fin les marches blanches, et les femmes et les enfants qui s'effondrent à terre, et que l'on piétine. C'était superbe. Quelles superbes brutes, ces Cosaques !

Elle s'interrompit brusquement, alluma une cigarette et s'assit sur le bord de la table, balançant une jambe.

— Sais-tu ce qu'est un vrai pogrom ? interrogeat-elle soudain. Il savait bien que la réponse se devait d'être « non ». « Non », dit-il.

C'est bien ce qu'elle pensait. Il devrait écouter Vanya en parler. Vanya avait pris part à plus d'un pogrom.

— Où ? demanda-t-il.

En Russie, évidemment. Sinon, où, à son avis ?

— Elle est russe, alors ?

Non seulement elle était russe, ainsi qu'il l'apprit, mais c'était une princesse, une Romanov, une enfant naturelle. Eh oui, c'était ainsi ! Non seulement c'était un génie, mais c'était une princesse, par-dessus le marché. Il ne pouvait s'empêcher de songer à un autre

Romanov, qui lui avait fait un chèque en bois, un chèque de trois dollars. Lui aussi était un génie, à sa manière... et une crapule, par-dessus le marché. Il hocha la tête, comme un Juif qui vient d'apprendre une catastrophe toute fraîche. Aucun doute, il n'était pas assez romantique pour elles. Il n'était ni un génie, ni un Romanov, ni une crapule.

La scène trouva sa conclusion au lit. C'était merveilleux, cette manière dont Hildred savait donner son amour. L'homme qui pouvait mettre un tel amour en doute était un idiot. Elle se donnait, corps et âme. C'était une reddition totale. Pas comme ces demi-femmes du Village, celles que fréquentait Willie Hyslop, mais comme une vraie femme, avec tous ses organes intacts, dans un abandon de tous ses sens, brûlant de tout son cœur, consumant sa passion jusqu'à la cendre... un véritable pogrom d'amour.

A l'instant suprême, Vanya rentra, évidemment.

— Oh ! Vous êtes *là* ! s'écria-t-elle. Elle les sentait dans le noir, comme un chien.

A peine avait-elle entendu le son de sa voix que Hildred bondit hors du lit. La princesse était arrivée. Changement de décor.

Tony Bring se glissa dans l'appentis, par la porte du fond. La vaisselle s'entassait en vrac dans l'évier. Il tournait en rond, sans but, jetant de temps à autre un regard par la fenêtre, pour voir si elles remarquaient son absence. Non, elles semblaient ne rien remarquer. Hildred s'enduisait le visage de *cold-cream*, tandis que la princesse chantait pour elle. Elles chantaient en anglais, en allemand, en français, en russe. Vanya disparut dans sa chambre, et revint grimée comme Barrymore. Cabotinage et simagrées devant Hildred, trônant telle l'impératrice de l'émotion, applaudissant du bout des doigts.

Le toit de l'appentis était soutenu par trois piliers

de fer. Tony Bring se mit à tourner à toute vitesse en s'accrochant aux poteaux, tel un lapin branché sur le courant. A chaque passage devant la fenêtre, il jetait un coup d'œil à l'intérieur. Elles chantaient toujours... Elles s'égosillaient comme deux poules en goguette, un soir de relâche. « Laisse-moi t'appeler chérie, je t'ai-ai-me... » Sans arrêt. George Washington aurait dû être là — et aussi Abraham Lincoln et Jean Cocteau et Puvis de Chavannes et Moholy-Nagy et Tristan Tzara... Tony Bring, lui, était là, sans y être. C'était comme un fantôme à un banquet, comme un héros sans médaille, comme un intrus à une veillée funèbre, comme un funambule sur une corde lâche, sans balancier de bambou ni parapluie. C'était un fou en liberté, avec un chronomètre dissimulé dans ses chaussettes. La vitre était transparente, mais il demeurait invisible pour elles. Si elles ne le voyaient pas, elles pouvaient au moins l'entendre se démener comme un forcené... Non, elles ne l'entendaient pas ? Elles étaient sourdes, aussi ? Oui, elles étaient sourdes. Elles s'assourdissaient de rires et de chansons. Le monde était vide, à part elles. Leur chanson emplissait le monde, emplissait le vide étoilé au-delà, faisait fredonner les astres et les planètes, et la lune en était ivre, et les cieux chantaient.

— Démons, créatures du diable ! gémit-il. Si seulement je pouvais trouver le moyen de vous planter mes griffes dans le corps ! Si seulement je pouvais vous apprendre quelques pas de danse à ma manière.

Ce soir, aussi certainement que l'enfer brûle sous nos pieds, un poème naîtra — un poème sur les voiles de la nuit, sur les heures qui tailladent et broient le vide avec leurs bras de sable. O, terre ! Tu es une tombe qui respire, une chambre de torture pour ces morts-vivants aux entrailles répandues, aux mains décharnées, grandes ouvertes vers les cieux pour implorer du secours. Dans cette alcôve confinée où les sœurs danoises surgissent des murs, bientôt la plume grincera fébrilement. Entre les vers d'un poème ivre, elles tournoieront et tituberont, et la pièce explosera en grognements et en cris aigus. Tandis que la tuyauterie fera entendre son gargouillis musical, et que les araignées ramperont sur leurs bas noirs, la plume dansera... Que l'on ôte ces cadavres qui poussent dans mon cerveau ! Rendez-moi mon âme, rendez-moi des orbites pour mes yeux !

## 2

Le Caravan avait ajouté une nouvelle hôtesse à son personnel : une descendante des Romanov ! Si seulement les gens s'étaient rendu compte que c'était une princesse qui les servait ! Cette manière de verser la soupe ! Cette façon de balancer son plateau !

Les princesses ont une manière bien à elles d'être, décevante, mais celle-ci... ! Non pas une princesse pur sang, bien sûr. Il y avait un petit défaut quelque part. Quelqu'un s'était trompé de poteau en accrochant son cheval, au cours d'un pogrom, ou d'une tempête de neige.

Hildred se sentait une autre femme. Elle faisait preuve de plus de tendresse en secouant Vanya pour qu'elle se lève. Une princesse était chose si délicate. Chaque jour, elles quittaient la maison bras dessus bras dessous. Elles rentraient quand cela leur convenait.

Quand elles sont parties, Tony Bring se cloître dans le sanctuaire déserté par la princesse. Il examine les élucubrations que son alter ego a engendrées durant la nuit car, entre deux et six heures du matin, ça n'est pas une Romanov, mais une Villon en jupons qui occupe le saint des saints. L'écriture de Mme Villon se présente comme un gribouillage enfantin, comme si elle était sous hypnose. N'ayant pas d'ardoise, elle écrit sur des boîtes d'allumettes, sur des menus ou des buvards ; parfois, elle n'a guère que du papier hygiénique à sa disposition. Quand elle a terminé, elle jette ses poèmes par terre. Au matin, elle s'en va, comme un chien qui a posé sa crotte.

Ce matin, Tony Bring a trouvé, encore fumant, un hymne à l'ammoniaque : « Tu te tenais comme une reine déchue... Tes yeux, trois yeux, esprits de l'ammoniaque. » Elle avait écrit cela au dos d'un menu de Lenox Avenue. « Balançant devant mes yeux des bras de craie noircis par la vie... Je t'ai regardée, Hildred, dans l'enchevêtrement des lumières vertes, et je me suis demandé... Tu étais ivre, hier soir, Hildred. »

Hier soir ! C'était hier soir que Vanya était rentrée en délirant sur le crâne flétri de l'Espagnol, flottant sur une mer de nombrils, de nombrils luisants et sombres, barbouillés de rouge à lèvres. C'était ce soir-là qu'elles devaient rapporter l'argent du loyer, et il y avait encore eu des violettes, et l'Espagnol avait dit en plaisantant : « Un your, yé la tourai... » Il poursuivit sa lecture : « D'épaisses chaînes d'or cliquetaient dans ma tête, la musique explosait en un flot ruisselant sur mon verre de bière. Le sol tangue, l'eau glacée me gèle les chevilles. »

A l'heure du dîner, il se précipita au Caravan. On le reçut avec une solennité embarrassante. Elles insistèrent toutes les deux pour le servir ensemble. Quelle déférence à son égard ! On aurait cru voir une célébrité, qui aurait choisi de dîner dans ce lieu modeste dans l'unique but de répandre sur ces deux créatures dévouées l'aura de sa personnalité majestueuse. Elles poussèrent même la comédie jusqu'à improviser une petite querelle, chacune faisant mine d'être jalouse de l'autre parce qu'il leur distribuait inégalement ses faveurs.

Il s'attardait volontairement. Déjà, Hildred commençait à trahir une certaine impatience, faisant cependant montre d'une pondération inaccoutumée, et admirable. Elles avaient de toute évidence quelque projet en tête pour la soirée. En fait, elles trépignaient intérieurement.

Il fit traîner son dessert, commanda un second café, sortit son calepin pour le compulser vaguement, y notant quelques phrases sans signification. Hildred était au bord de l'exaspération. Elle s'assit près de lui et se mit à le supplier de partir. Vanya se tenait debout derrière elle, n'en perdant pas une miette, et parvenant pourtant à garder une expression rêveuse, béate, comme si tout cela ne la concernait en rien.

— Tu ne trouves pas cela idiot, de venir ici pour m'espionner ? demandait Hildred. Crois-tu que tu apprendras quoi que ce soit en traînant ici ?

— Mais je ne suis pas venu pour t'espionner, dit-il. Je suis passé te prendre pour sortir.

Hildred fronça les sourcils et lança à Vanya un regard bref, signifiant : « Pour l'amour de Dieu, sors-moi de là ! »

Mais, à leur stupéfaction à tous deux, Vanya réagit immédiatement en déclarant :

— Il a raison, Hildred... Je crois que c'est ton devoir, de sortir avec lui ce soir.

— Mais nous avions rendez-vous...

— Oh, je m'arrangerai, dit Vanya. Ne t'inquiète pas pour cela.

— Tu ne peux pas nous accompagner ? demanda Hildred d'un air boudeur, la contrariété se peignant sur son visage.

Non, Vanya ne pouvait pas. Il n'en était pas question. En outre, elle s'en voudrait de s'immiscer entre eux pour gâcher leur plaisir. Elle avait un tel accent de sincérité que, l'espace d'un instant, Tony Bring éprouva réellement une vague de reconnaissance à son égard. Néanmoins, sa rancœur envers Hildred avait pris de telles proportions qu'il dut faire appel à toute sa volonté pour poursuivre son projet jusqu'au bout. Il se demandait quelles excuses inédites allaient lui venir aux lèvres. Et, en même temps, il sentait monter en lui une détermination sans cesse croissante d'imposer sa volonté.

Finalement, après avoir avalé d'un trait une tasse de café noir et allumé une nouvelle cigarette, Hildred céda. Arrivée à la porte, elle attira Vanya à l'écart. Elles se lancèrent dans un conciliabule à voix basse, animé et interminable. Quand elles en eurent terminé, Vanya affichait une expression ravie.

La simple manière dont Hildred tenait sa cigarette, dont elle en tirait des bouffées vengeresses, sans mot dire, l'exaspéra. Il avait une terrible envie de la lui arracher des lèvres, de la jeter dans le caniveau. L'instant d'après cependant, il cherchait fébrilement quelque chose à dire, un geste à faire pour dissiper cette querelle, pour qu'elle se rapproche de lui.

— Alors ? fit-elle, avec un regain d'insolence. Où allons-nous ?

Ils se tenaient devant l'entrée du métro de Sheridan Square. En face se trouvait le restaurant fréquenté par tous les tarés du Village. C'était derrière cette vitrine que s'installait parfois Willie Hyslop, le sosie de saint Jean-Baptiste.

— Tu ne vas pas m'emmener *là-dedans*, j'espère ? dit-elle, suivant la direction de son regard.

D'un geste farouche, il l'attrapa par le bras et l'entraîna dans l'escalier.

Ils se trouvaient dans un jardin chinois ; un orchestre jouait doucement dans une lumière rosée, tandis que les amoureux se pressaient avec volupté sur une minuscule piste rectangulaire, soutenue par de lourdes cordes de velours attachées à des piliers de cuivre étincelant. L'expression qui l'irritait tant auparavant s'était totalement effacée sur le visage de Hildred. C'était presque de la gratitude que l'on pouvait y lire à présent. Elle cherchait des yeux la petite alcôve du côté de Broadway, là où flamboyait l'immense enseigne lumineuse. C'était là qu'ils s'étaient connus, là, dans cette alcôve même, qu'elle avait commencé à se fabriquer sa propre légende, cette vie imaginaire à laquelle elle s'accrochait toujours, qu'elle continuait, en fait, d'alimenter et de parfaire, avec le temps.

Leurs genoux se touchaient. Ils tremblaient. Quand l'orchestre se mit à jouer et qu'ils reconnurent cet air qui avait autrefois coulé dans leurs veines comme un feu liquide, des larmes leur montèrent aux yeux. Se tenant par le bras, ils se dirigèrent vers la piste où, dans le minuscule rectangle de lumière rose, les amants et les ensorcelés se pressaient voluptueusement. Serrés l'un contre l'autre en une tendre étreinte, ils dérivaient parmi les autres couples, aux anges, ayant tout oublié à présent, sinon le souvenir de cette nuit où ils s'étaient rencontrés, de ces jours sans fin qu'ils avaient passés seuls, ensemble. C'était comme un fragment de rêve qui, par un effort presque impossible à mesurer, renaîtrait sans cesse, à chaque fraction de seconde, renaîtrait inchangé, distinct, intact et nu. Doucement, elle chantait les paroles à son oreille ; le contact de sa joue était une brûlure, sa voix une ivresse ; ses seins doux et pleins se gonflaient au rythme de la mélodie. C'était là une chanson que Vanya n'avait jamais entendue — de cela, il était certain. Si jamais un jour... Il se reprit. Pourquoi penser à cela ? Pourquoi ne pas boire, boire pleinement cette coupe de bonheur ?

Assis à la table, ils échangeaient des regards songeurs. Pensait-elle aussi à tout ce qui s'était passé entre eux ? Pensait-elle aussi à cette félicité que rien ne pourrait jamais détruire, ils se l'étaient juré ? Ou bien était-ce un autre souvenir, qui faisait soudain naître cette lueur lointaine dans ses yeux ? Les derniers mots échangés avec Vanya... Ce conciliabule à voix basse, à la porte du Caravan ? Son regard était accroché aux lèvres de Hildred, et demeurait là, flottant, indécis. Un seul mot à propos de Vanya, et le charme serait rompu...

Non, grâce au ciel, les premiers mots qu'elle prononça n'étaient pas des mots cruels. C'étaient de petits mots, des mots de rien, mais ils apportaient le souvenir d'un enchantement lointain. Il gardait le regard fixé sur ses lèvres, sur sa bouche, si douce, si pleine de promesses, sa langue qui semblait caresser chaque mot comme s'il eût été de chair parfumée, ardente. Son sourire était semblable au soleil qui brille après l'averse, un soleil qui rayonnait sur une ville étrange et ravissante. L'image de Paris traversa soudain son esprit, Paris avec ses murs colorés, son ciel qui variait du gris laiteux au gris perle, la verdure mouillée des jardins, les reflets sur la Seine... Il la regarda profondément, intensément. On pouvait difficilement qualifier de sourire cet éclat bizarre, surnaturel. La lueur en était trop fixe, éclairant sans faillir son visage, comme celui d'une statue surgie d'un retable, lorsque l'ombre a envahi l'église.

Paris ! Sa tête en était pleine. Durant tous ces derniers jours, elles ne chantaient que cela, Paris, Paris, Paris... Que d'évocations dans ce nom ! Les dimanches sur la butte Montmartre, les pique-niques au bois de Boulogne, les manèges aux Tuileries, le bassin du Luxembourg, sur lequel les enfants faisaient voguer leurs bateaux. Il songeait aux amoureux qui se pressaient l'un contre l'autre dans le métro, aux amoureux qui s'enlaçaient en public, dans les squares, dans la rue, partout. Mon dieu, comme on s'aimait, à Paris ! Et au crépuscule, cet éclat métallique, surnaturel du ciel, comme si c'eût été une plaque réfléchissante sur laquelle jouaient de vives couleurs, barbouillées à la hâte par une main invisible. Un ciel tout différent, le ciel de Paris. Un ciel du Nord.

Subjugué par la lueur fanatique de ses yeux, il ressentit de nouveau la beauté sensuelle, tangible, des toits d'un noir tendre, qui luisaient au soleil après la pluie tiède. Dans ces toits étaient les plus belles nuances du noir — comme certaines tonalités chaudes de fusain, parfaitement indescriptibles.

Tandis que la soirée s'avançait, il semblait impossible que cette coupe de bonheur pût encore contenir la moindre goutte.

C'est alors que se produisit une chose déplorable, vraiment odieuse. Comme Hildred fouillait dans son sac, à la recherche de monnaie pour le serveur, une enveloppe en tomba. Elle tressaillit et s'apprêtait à la ramasser vivement quand, remarquant qu'il ne faisait pas mine d'intervenir, elle changea soudain d'attitude, laissant l'enveloppe là où elle était, exposée aux regards.

Tony Bring reconnut immédiatement le gribouillage enfantin. Il allait demander à la lire quand Hildred s'en empara et la fourra au fond de son sac. La peur panique que trahissait ce geste lui souleva le cœur.

— Crois-moi, dit Hildred, je ne peux pas te la faire lire... Vraiment, je ne peux pas, je n'en ai pas le droit.

De sa vie elle n'avait parlé avec une telle sincérité, une telle conviction.

— Cela n'a strictement rien à voir avec nous, reprit-elle. Rien de rien !

Elle parla de chose *sacrée*. Il y avait dans cette lettre quelque chose de *sacré* pour Vanya, qu'elle ne pouvait pas révéler, pas même à lui. En lui, un conflit se déroulait ; maintenant, plus que jamais, il voulait avoir foi en elle. Il était absolument essentiel d'avoir foi en elle. C'était une menteuse, il le savait, et il lui pardonnait ; mais là, ce n'était pas de mensonge qu'il s'agissait. De nouveau, comme ce soir où il l'attendait dans la chambre meublée donnant sur le port, il eut le sentiment d'un malheur imminent, une peur incontrôlable que tout lui fût enlevé. Il laissa cependant passer l'anicroche, sans ajouter un seul mot à propos de la lettre.

Sur le chemin du retour, Hildred ne cessait de jacasser. Elle paraissait avoir perdu tout contrôle d'elle-même. Peu lui importait apparemment ce qu'elle racontait ; elle semblait essayer de noyer l'incident. Mais plus elle ouvrait les vannes, plus il s'élevait, flottant sur l'océan de ses paroles comme un bouchon que l'on ne peut submerger.

— Tu dis que tu nous aimes tous les deux ? la coupat-il brusquement, brisant le silence dans lequel il s'était cantonné.

— Oui, répliqua Hildred. Je vous aime tous les deux, même si l'amour que j'ai pour toi est différent de celui que j'ai pour Vanya.

— Tu te rends compte de ce que tu dis, Hildred ! Il n'y avait nulle hostilité dans sa voix, nulle irritation ; il éprouvait ce calme mêlé de profonde curiosité qui nous saisit aux instants les plus critiques. Réfléchis, Hildred, reprit-il, est-ce de l'amour que tu ressens pour elle ? On n'utilise pas le mot *aimer* aussi légèrement que ça.

Mais cela ne l'ébranla pas le moins du monde. Bien qu'elle ne sût pas vraiment comment l'exprimer, il y avait une chose qu'il devait savoir : les hommes étaient

126

différents des femmes. On ne pouvait comparer l'affection d'un homme envers un autre et celle qui pouvait exister entre deux femmes. Chez les femmes, c'était une chose normale, spontanée, en accord total avec leur instinct. Mais qu'un homme avoue son amour envers un autre était contre nature. Elle tempéra ceci en ajoutant qu'il existait sans aucun doute des cas d'amour entre hommes, mais d'amour purement platonique.

Platonique ! C'était là un de ces mots brûlants qui revenaient constamment dans leurs discussions nocturnes, un de ces mots que l'on avait soulignés à l'encre rouge.

— Écoute, reprit-elle, pourrais-je mentir quand je suis dans tes bras, et me donner à toi comme je le fais si... ?

— Si quoi ?

— Oh, tout cela est trop bête ! Tu compliques les choses, tu les rends laides. Je te le jure ! Tu as une vision étroite de la vie, une vision masculine. Dans tout, tu ne vois qu'une question de sexe, et ça n'est pas du tout cela... C'est quelque chose de rare, de beau... Cette pensée la transporta un instant. Et quand je pense, continua-t-elle, que tu nourris toutes ces sales pensées à mon égard, alors que je ne suis qu'amour pour toi... amour et reconnaissance... parce que je te dois tout ; je n'étais rien, rien qu'une gamine quelconque, et tu as fait quelque chose de moi. Tu es presque un dieu pour moi, ne le sais-tu pas, ne me crois-tu pas ?

Il était très tard quand ils arrivèrent à la maison et, apparemment, Vanya s'était retirée dans sa chambre. En allumant la lumière, ils demeurèrent saisis devant la transformation qui s'était opérée en leur absence. Tout avait été épousseté, le sol était briqué, les meubles parfaitement rangés. La table centrale avait été recouverte d'un coupon de tapisserie, au milieu duquel se dressait un vase rempli de gardénias. Ils notèrent aussi que l'ampoule au-dessus avait été garnie d'un abat-jour, un de ces trucs en parchemin décorés d'une vieille carte du monde.

— Tu vois ! s'exclama Hildred. Tu vois comme elle peut être pleine d'attentions !

Elle parcourut les pièces d'un pas alangui, explorant tout minutieusement, laissant échapper des murmures passionnés, frénétiques, prolongés dans des transports d'exaltation.

Quant à Tony Bring, il était moyennement enthousiaste. Tout d'abord, c'était là de toute évidence une « attitude », pour reprendre une des propres expressions de Vanya ; deuxièmement, aussi souvent se fût-il chargé lui-même de cette tâche — bien qu'avec un peu moins de subtilité, il l'admettait —, cela n'avait pas suscité l'ombre d'une approbation, ou d'un remerciement. Jamais jusqu'alors Vanya n'avait seulement songé à entretenir la maison ; en ce qui la concernait, la vaisselle pouvait bien traîner une semaine dans l'évier. Elle ne se donnait même pas la peine de ramasser les vêtements quand ils tombaient par terre. Il était tellement plus simple d'enjamber les choses.

Hildred ne pouvait attendre le matin pour lui présenter ses grâces.

— Il faut que j'aille voir si elle est réveillée, déclara-t-elle.

Il tenta doucement de la retenir.

— S'il te plaît, Hildred, pas ce soir... Ce soir, tu... Il laissa la phrase en suspens, la serra passionnément contre lui.

— Mais laisse-moi juste aller voir si elle ne dort pas. Je reviens tout de suite.

Il avait à peine relâché son étreinte qu'elle lui échappait. Au lieu d'aller directement à la chambre de Vanya, elle fila vers la salle de bains.

Ses pensées défilaient à toute vitesse. Il arpentait la pièce, ou se figeait devant les lamantins de Vanya, les fixant sans les voir, sans même remarquer le coucher de soleil qu'ils peignaient avec leur queue. Machinalement, il tira une chaise et s'assit à califourchon, les bras appuyés au dossier, la tête pendante, prête à rouler sur le sol. Immaculé, ce sol, luisant comme une paire de bottes vernies. C'était l'œuvre de Vanya. Elle s'était mise à genoux, à quatre pattes. Vanya...

Dans la salle de bains, il y avait une fenêtre, une fenêtre avec des barreaux. Sans doute étaient-elles en train de parler au travers des barreaux, en toute hâte, car le gardien allait bientôt arriver, et la visiteuse devrait s'en aller. Alors, elle serait de nouveau seule dans sa petite cellule, avec l'armoire de toilette en bois, d'où la musique s'échappait en gargouillant. Et de nouveau, la plume allait chuinter et crisser, et les mouches marcheraient la tête en bas, et les bras de sable tailladeraient le vide, que l'on me rende mes orbites... Levant la tête un instant, il vit un urinoir placardé d'avertissements contre les infections vénériennes. Il pensa au jardin chinois, à la chanson qu'elle fredonnait à son oreille, à la conversation qui avait suivi, tandis qu'ils buvaient un café noir et sirupeux. Les petites cuillers étaient bien ternes... trop souvent lavées. Comme il évoquait l'éclat mat des cuillers, et ce qu'elle avait dit à propos de l'amour entre deux hommes, il aperçut son sac là, sur la table. Depuis le début il était là, presque à portée de sa main. Elle avait dû le poser en entrant, le jeter là sans y penser, pour aller folâtrer dans toute la maison et admirer le zèle affectueux de Vanya.

Il l'ouvrit et fouilla rapidement à l'intérieur. Il en déversa le contenu sur la table et se mit à chercher, à chercher. Elle avait disparu. Il regarda sous la table. Pas de lettre. Il se dirigea vers le lit, glissa les mains dans la poche de sa cape, sous les oreillers. Elle avait disparu.

Son visage n'exprimait pas que la stupeur, ou la déception. Il était choqué... profondément choqué. Il se parla à lui-même, calmement, comme s'il eût été endormi... Après les choses merveilleuses qu'elle m'a dites... presque un dieu.. je te vénère... et en même temps, elle pensait à ôter la lettre de son sac, à la cacher quelque part. Il se rappelait la manière dont elle l'avait rangée, avec une sorte de frénésie, aurait-on dit. Il revoyait clairement la scène. Après quoi, plus une parole n'avait été prononcée à propos de la lettre...

Quelques instants plus tard, Hildred réapparut. Elle souriait tendrement, et son visage avait toute la beauté et l'innocence de celui d'un enfant.

— Et à présent, dit-elle, venant près de lui, s'offrant comme pour un sacrifice précieux, mon grand amant chéri voudrait bien... Elle tendit vers lui ses lèvres brûlantes, ses seins lourds comme des fruits tropicaux ; laissant tomber ses bras, elle demeura ainsi, contre lui, toute molle et chaude.

Tout en la portant vers le lit, il se demandait : et maintenant ? Et maintenant ?

— Te souviens-tu de ce que tu m'as fait, la première nuit ? demanda-t-elle. Te souviens-tu comment nous... ? Les mots se perdirent comme une brise tiède. Ils se regardèrent fixement, silencieusement, leur sang bouillonnant, charriant des baleines et des cygnes, soudain suspendus dans un vide résonnant des accords de leurs harpes brisées. Il planta ses dents dans les lèvres chaudes, les plongea dans sa gorge, mordit son épaule, y faisant naître une tache d'un rouge mat. « Ah ! » soupira-t-elle, et comme ils s'écartaient un instant pour mieux s'embraser de nouveau, les murs parurent se déformer, et leur souffle lourd, saccadé, emplit la pièce d'une exhalaison sèche, aride.

Elle lui parlait, de cette voix basse et vibrante, plus sombre à présent, plus exotique que jamais. Dans la lumière tamisée qui baignait la pièce, sa chair brillait d'un éclat dense, laiteux, son torse se soulevait et retombait comme une mer, et son haleine lui parvenait chargée d'un parfum lourd, envahissant tous ses sens comme un narcotique. Son discours était étrangement altéré, à présent ; ce n'étaient plus de simples mots qui venaient frapper son cerveau, mais l'essence charnelle, vitale, le courant primitif qui dépasse les mots humains pour flamboyer là, aux frontières de la pensée qui colore notre sang et nos instincts. En l'écoutant, il se rappelait les nuances dont elle avait émaillé ses réflexions sur l'amour. Tout son être ne semblait être qu'un instrument servant à exprimer cette omniprésence de l'amour, son corps et son âme le clamant à l'unisson. Quelle absurdité, se disait-il, qu'un mot comme *platonique* pût sortir de ses lèvres ; cela équivalait à prétendre qu'il fallait toujours tenir un fil sous tension à main nue. Sans hâte, il se pencha vers elle, baisa sa bouche humide et parfumée. Il sentit sa langue se glisser entre ses dents ; ils demeurèrent ainsi, tremblants, haletants. Elle se laissa caresser, l'encourageant avec des murmures assourdis puis, prenant sa main dans sa main brûlante, elle le guida dans sa quête furtive. Alors, il se mit à lui poser des questions — sur les hommes qu'elle avait connus, sur le fonctionnement de son corps, s'enquérant des détails les plus intimes de sa vie émotionnelle. Elle ne cherchait aucunement à dissimuler quoi que ce fût, pas plus qu'elle ne tentait de magnifier ses sentiments. Les réponses qu'elle lui fit étaient aussi nues que sa chair elle-même. Pour sa part, il ne

131

lui demanda pas non plus si elle les avait tous aimés, les uns après les autres. Il lui demandait plutôt de décrire ses émotions, d'établir des comparaisons, de lui brosser le tableau le plus complet possible de ses désirs, de ses pensées, de ses impulsions et réactions.

Quand, à son tour, elle le questionna, il éprouva quelques difficultés à répondre ; il se laissait tellement emporter par son propre récit qu'elle ne pouvait s'empêcher de le mettre en doute. De plus, elle n'en tirait pas le plaisir escompté, loin de là. Il était beaucoup plus facile de s'exciter avec ses propres confessions.

Peu à peu, le silence retomba sur eux. On n'entendait plus rien que le battement de leur cœur, et leur souffle court et irrégulier. Enfin, cela cessa également, et ils demeurèrent ainsi, gisant à plat ventre sur le lit, inertes, drogués d'amour, leurs muscles seuls se contractant parfois sous l'enveloppe humide de la chair.

## 3

Chaque matin, un orgue à vapeur passait dans une charrette bâchée, emplissant la maison d'échos lubriques. Et chaque matin, Vanya, rendue folle par la monotonie de cette plainte, bondissait hors de son lit en jurant, et cherchait refuge dans toutes les pièces, parcourant l'appartement comme un buffle à la poursuite d'un arc-en-ciel. Hildred s'agitait dans son sommeil, gémissait ou prononçait des lambeaux de phrases, tout en rêvant que des hippogriffes pourpres tombaient au travers du toit. Chaque matin, Tony Bring se penchait sur elle pour l'embrasser, tandis qu'elle frémissait et se retournait, et toujours l'espoir renaissait en lui, tandis qu'il contemplait cette beauté grave et morbide. Comment était-il possible que cette enchanteresse qui, la veille au soir, l'appelait son dieu, ne se réveillât que pour le torturer de nouveau ?

Au petit déjeuner, Vanya ruminait généralement à voix haute ses poèmes nocturnes. A maints égards, ce petit déjeuner était un moment très singulier. Plutôt que de profiter du repas gratuit offert par le Caravan, elles préféraient rester à la maison, à la lueur des bougies, et commencer la journée par une bonne discussion intellectuelle. Tandis que Tony Bring pressait les oranges tout en surveillant d'un œil le réchaud à pétrole, pour éviter que le bacon de Hildred ne soit trop croustillant, on feuilletait les poèmes dans tous les sens... *Laisse-moi quelque chose de simple comme la lune, ça n'est pas compliqué... Elle gisait sur le sable ondulant, parlant à son frère de la mort, à voix basse...* La lecture était émaillée de parenthèses à propos du café ou du prix des fraises.

Généralement, elles étaient d'humeur exubérante en quittant la maison, comme si elles s'apprêtaient à partir en vacances. Mais ce matin, pour une raison ou pour une autre, Vanya ne semblait pas désireuse de sortir. Elle parlait de se consacrer à un *vrai* travail, pour changer, faisant ainsi allusion à un portrait de Tony Bring, qu'elle avait commencé quelques jours auparavant. Hildred, généralement si empressée, si complaisante aux caprices de Vanya, réagit avec une indifférence étrange, presque avec hostilité, aurait-on dit. Et lorsque Vanya déclara : « Mon dieu, c'est tellement idiot de passer sa journée à servir les gens... Je ne suis pas un cheval », elle se leva brusquement et, enfilant sa cape, dit : « Très bien, amuse-toi ; je ferai le sale boulot. » Arrivée à la porte, elle se retourna et lança :

— Heureusement que moi, je n'ai aucune urgence créatrice pour me détourner de mes responsabilités, sinon, je ne sais pas ce que vous deviendriez, tous les deux.

— Je ne pensais pas qu'elle le prendrait ainsi, dit Vanya, tandis que la porte claquait derrière Hildred. As-tu de la monnaie, Tony ? demanda-t-elle soudain, d'un ton brusque. Il faut que je prenne un taxi.

Mais en se précipitant hors de la maison, quelques instants plus tard, elle aperçut Hildred qui se dirigeait tranquillement vers le métro.

— Je suis si contente que tu m'aies attendue ! s'écria-t-elle, haletante, en la rattrapant.

— Je ne t'attendais pas du tout, dit Hildred. J'ai un point de côté, je ne peux pas marcher plus vite.

— Prenons un taxi, dit Vanya. C'était une manière de dire « pardonne-moi ».

Il avait été décidé que Hildred consacrerait certains soirs à Vanya, et certains soirs à son époux. De plus, un autre petit problème avait été résolu, et d'une manière qui avivait encore la gratitude de Tony Bring envers sa femme. C'était cette histoire de lettre, qui l'avait tant tourmenté. Il n'y avait plus jamais fait allusion mais, comme pour lui montrer de quelle sottise il avait fait preuve, Hildred avait laissé des petits morceaux de l'enveloppe à terre, à côté de la cuvette des cabinets. C'était là leur manière de communiquer, dans les cas graves. Ils pouvaient régler toutes sortes de problèmes ainsi, c'était comme un code secret, mille fois plus efficace qu'un piètre discours d'explication.

Tout cela trottait dans la tête de Tony Bring, tandis qu'il allait et venait, mettant de l'ordre dans la maison. Il n'y avait pas si longtemps — quelques heures à peine —, tout était encore ravissant — oui, ravissant. On sentait là l'empreinte d'une main féminine ; elle avait apporté une note de grâce, de charme, dans leur petit intérieur. A présent, c'était à nouveau tout autre chose.

Il pénétra dans la chambre de Vanya. Ses vêtements étaient jetés en tas sur le sol. Sous son lit pliant, les mégots écrasés s'accumulaient. Comme il passait le balai sous le lit, il ramena au jour un billet de dix dollars. Il aurait sans doute été surpris si cela n'était encore jamais arrivé, mais de telles choses se produisaient régulièrement. Il n'en restait pas moins étrange que l'on pût laisser ainsi traîner l'argent sans s'en inquiéter : au lieu de lui être reconnaissantes de l'avoir retrouvé, elles adoptaient une attitude très singulière — pas tout à fait comme si elles le soupçonnaient de l'avoir escamoté, mais *presque*. En y réfléchissant une seconde, elles s'apercevraient à quel point c'était idiot. Pourquoi leur rendrait-il l'argent, s'il l'avait effectivement volé ? D'autre part, fauchées comme elles l'étaient le plus souvent, comment se faisait-il que personne ne se plaignît jamais d'avoir perdu un billet de dix dollars ? Après tout, dix dollars, ça n'était pas rien...

C'était un de ces mystères qui planaient sans cesse dans l'air. Il traîna dans la chambre de Vanya, parcourant d'un air pensif un paquet de lettres découvertes parmi les papiers qui jonchaient sa table. Toutes émanaient de femmes — de femmes de la côte Ouest. Elles l'appelaient « David », « Adorable Jo », « Mon Michaël », etc. L'une des missives provenait d'un couvent, écrite par une religieuse esseulée dont les seins, ainsi qu'elle le déclarait, pendaient tristement sous un linceul noir. Dans une autre, une charmante enfant, qui n'avait sans doute guère plus de seize ans, d'après son vocabulaire, lui expliquait qu'elle trempait chaque soir son oreiller de larmes. « Mon Michaël chéri, écrivait-elle, m'as-tu oubliée ? Quelqu'un m'a-t-il remplacée, dans cet horrible New York ? » Il y avait aussi une lettre énergique et intelligente, émanant d'une épouse dont le mari était d'une jalousie terrifiante. « Il ne pardonnera jamais à mon David », lui confiait-elle entre parenthèses. C'était là une femme avisée. Elle lui donnait de bons conseils, accumulant les recommandations affectueuses, exhortant son « David » à concentrer tous ses efforts sur son travail. « Je ne me tourmente pas à ton sujet, mon chéri, concluait-elle. Je sais que tu rencontreras d'autres femmes, plus jeunes peut-être, qui revendiqueront ton amitié et enrichiront ta vie de tous les jours. Mais tes nuits m'appartiendront. Je sais que tu penses toujours à moi, et que tu me reviendras dès que cette folie se sera calmée. »

136

Sous les lettres se trouvaient quelques lignes inachevées, de la main de Vanya. C'était de toute évidence la réponse à cette créature raisonnable dont le mari était d'une jalousie si infernale. « Irma, mon adorable petite lesbienne, lut-il, ces mots... affolants, barbares, enivrants. Ta voix... (là, Tony Bring fit une pause, se demandant si Hildred était au courant de ces appels longue distance, de ces supplications délicieuses)... Mon dieu, Irma, écris-moi, écris-moi souvent... dis-moi des choses. Durant tout ce temps, sais-tu ce que j'ai pensé ? J'ai pensé que j'étais peut-être moi aussi un de ces comtes Bruga. Oui, mais en même temps, je t'écrivais des pages et des pages, et ensuite (tu connais mes coups de tête), je les déchirais. J'ai un million de choses à te dire, mais je tremble. Attends, je vais m'exprimer avec plus de modération. Après avoir disparu... » La suite, tronquée, était indéchiffrable. Cela continuait au verso : « Irma, c'est tellement merveilleux d'écrire ton nom. Je n'ai pas réussi à me suicider. Je ne me suiciderai jamais. (Elle avait écrit ''plus jamais'', mais avait rayé le ''plus''.) Je t'aime, Irma... Je t'aime affreusement. As-tu toujours certains de mes poèmes ? J'ai pâli en entendant ta voix. Je ne te voyais pas, ma chérie, mais ta voix est toujours la même. Je l'entends, la nuit, allongée dans cette chambre infernale, quand les murs commencent à se déformer. La nuit dernière... »

Le texte s'arrêtait là. Il y avait deux mégots de cigare dans une soucoupe, à côté de la lettre, et un rond poisseux sur la table, comme si on y avait posé un verre de liqueur. Sans aucun doute, une des sœurs danoises était venue faire une petite visite, pour bavarder tranquillement. La plus âgée s'était sérieusement entichée de Vanya, ces derniers temps. Elle faisait penser à une veuve qui se rendrait au cimetière pour flirter sur la tombe de son époux.

Étrangement, il n'éprouvait pas les palpitations qu'il ressentait habituellement en fouillant dans les papiers de Vanya. Il oublia même de secouer la tête, avec cet air affligé qui lui était si particulier. Il lut ce que sa curiosité lui commandait de lire — c'est-à-dire *tout* — et repoussa les feuillets de côté, laissant échapper un grognement presque réjoui.

Elles rentrèrent toutes deux relativement tôt, ce soir-là. Vanya brûlait toujours d'avancer un peu le portrait qu'elle avait commencé.

Poser, c'est souvent comme assister à un concert. On s'endort confortablement installé dans une chambre à New York, pour se réveiller dans une fumerie d'opium de San Francisco ou de Shanghai. En chemin, on tue, on viole, on renverse des gratte-ciel, on fait du patin à glace sous les Tropiques, on donne des cacahuètes à des yacks, on joue les funambules au-dessus du pont de Brooklyn. Le peintre n'est pas à l'abri, lui non plus. Ses sourcils broussailleux se transforment en fougères, sa pupille devient un lac sur lequel flottent des temples et des cygnes, tandis que ses labyrinthes auriculaires rêvent de mythologie.

Tony Bring a un grain de beauté sur la lèvre inférieure. Vanya l'a peint une douzaine de fois. C'est une obsession. Pour elle, ça n'est plus un grain de beauté, mais une arène remplie de châles et d'écharpes flamboyantes, de poignes de fer, de bêtes non castrées. Ce n'est pas un visage qu'elle veut peindre — ne l'a-t-elle pas peint mille fois en rêve ? — mais ce gradin de beauté, cette arène où se déroule son combat intérieur, cette écume de désir dans laquelle hommes et bêtes mêlent leurs passions mises à nu. Le grain de beauté est posé sur sa lèvre comme un gradin verdoyant au bord d'un précipice.

Quelle belle idée ce serait, pense Hildred, si au lieu de faire un portrait Vanya se mettait à imaginer un mélancolique cheval bai, qui emplirait la pièce de *Sehnsucht*. Ce n'est là qu'un intermède, parmi les autres pensées qu'elle exprime à voix haute, poursuivant sa lecture des *Chants d'Adam*. Dans le Eagle Building, tout juste à quelques rues de là, le fameux pan-démocrate qui bêlait si magnifiquement ses couplets est accroché à un clou, sous une vitre, ses sourcils en bataille noyés sous un immense sombrero, sa barbe blanche souillée de jus de tabac. A chaque jour qu'il passe accroché là, sa chanson devient plus apocalyptique. Le grand Patriarche des lettres américaines, l'ami de Horace Traubel et des receveurs d'autobus, prophète et homosexuel, le frère de toute l'humanité, ceignant ses reins...

— Je n'arrive pas à me concentrer, avec tout ce bruit, s'écria Vanya, jetant son pinceau à terre, accablée.

— Je pensais que cela t'inspirerait, répondit Hildred, refermant bruyamment le livre.

Pour toute réponse, Vanya ôta la toile du chevalet et, l'ayant examinée minutieusement, l'air féroce, la creva avec sa lourde botte en cuir de vache.

— J'ai faim, annonça-t-elle puis, dans le même mouvement, elle se tourna vers Tony Bring : Walt était vraiment homo ? demanda-t-elle.

Vexée qu'on ne l'eût pas interrogée sur un sujet d'une telle importance, Hildred quitta la pièce pour aller inspecter le placard à provisions. Elle réapparut avec une boîte de sardines, un gros morceau de pain aigre, du fromage et des raisins. Tony Bring parlait du poète Baudelaire que ses dispositions pathologiques poussaient, disait-on, à rechercher les femmes les plus repoussantes que l'on puisse imaginer — les naines, les Noires, les folles, les malades.

— Thé ou café ? demanda Hildred d'un ton froid.

— Ce que tu voudras, répondit Vanya sans lever les yeux.

Ils avaient baptisé la table autour de laquelle ils s'asseyaient la « planche à tripes ». Une expression pas très raffinée, mais tel n'était pas non plus leur vocabulaire, quand ils se retrouvaient là. En fait, elle avait été nommée ainsi parce que, à un moment ou à un autre, parfois à tour de rôle et parfois tous ensemble, ils étaient amenés à y exposer ce qu'ils avaient dans le ventre. Ils étaient attachés à ce nom. Il était direct, énergique — comme un de ces brefs coups au corps que donnait Dempsey. Pas de courbettes ni de salamalecs devant la planche à tripes. Pas de *küss die Hand*, ni de *S'il vous plaît*.

« Es-tu, ou n'es-tu pas une perverse ? »

C'est ainsi que commence le combat autour de la planche à tripes, ce soir.

La mère de Bruga, à qui cette question s'adresse, ne goûte pas toujours cette manière directe, particulièrement quand le coup a été porté avec une telle vigueur. Elle l'amortit par un petit jeu de jambes, pourrait-on dire, elle l'esquive, baisse la tête. Ça n'est pas sa soirée : son adversaire la ceinture et lui martèle les reins. Et lorsque Hildred, essayant d'arbitrer la rencontre, s'interpose entre eux, elle reçoit une baffe pour toute récompense.

— Quant à toi, dit-il, j'ai aussi une question à te poser. Supposons, enchaîne-t-il vivement, d'un ton doucereux, supposons que je me promène à Washington Square, qu'un homme m'aborde et… me fasse des propositions. Que crois-tu que je devrais faire — l'inviter à prendre un café, ou le crocheter et lui allonger un direct à la mâchoire ?

Hildred adopte un regard fixe, glacial.

— Je t'explique la chose autrement, continue Tony Bring avec précipitation. Après tout, nous n'avons pas à faire de manières. Ce que je te demande, c'est ce que tu ferais si une femme — *elle*, par exemple — venait te faire des propositions. (Vanya se renversa dans sa chaise, un large sourire aux lèvres.) Pourrais-tu me donner une réponse claire, en quelques mots ? demandat-il, élevant le ton.

Hildred en était bien sûr incapable. Elle n'avait jamais rien dit en quelques mots. Ses mâchoires commencèrent de s'agiter avec ardeur, retournant un amoncellement de détritus antiques ; elle débitait des noms, des définitions, et tandis qu'elle ruminait, encore et encore, la salive se mit à couler à flots, et les boîtes de conserve et les bouteilles cassées se casèrent plus confortablement dans son vaste appareil digestif. Elle avait déjà épuisé une centaine de mots sans avoir abordé la question.

— Viens-en au fait !

— Mais tu es absurde ! Tu me sautes dessus, comme un imbécile qui croit tout savoir.

— Je te pose une question simple et directe...

— Mais je te l'ai dit vingt fois : je n'ai aucune attitude déterminée. Cela dépend entièrement des circonstances, de la personne qui m'aborde, de mon humeur, de...

— Autrement dit, tu ne sais pas si ça te plairait ou te dégoûterait... C'est bien cela ?

— Si ça me dégoûterait ? répéta Hildred, hésitant à répondre. Après tout, ce sont des êtres humains, comme nous.

— Bien sûr ! Et ce sont aussi des...

C'était là un très vilain mot. Hildred devint toute blanche, et resta un moment sans voix. Mais Vanya intervint :

— Tous les pervers ne passent pas leur temps à aborder les gens, fit-elle remarquer, comme si c'était un point de la plus extrême importance.

— Bien, dit-il avec un regain d'enthousiasme. Très bien... Avec toi, on peut arriver à quelque chose. Au moins, tu sais parler clairement.

Il se leva et arpenta plusieurs fois la pièce à grands pas avant de venir se planter droit face à Vanya.

— Peux-tu me donner une réponse franche à une question franche ?

Vanya eut l'impression que les mots explosaient à ses oreilles. Sans doute son hochement de tête était-il un acquiescement, mais Tony Bring demeurait immobile devant elle, comme un tortionnaire, attendant ce « oui » qu'elle paraissait incapable de prononcer.

— Alors ? Alors ? interrogea-t-il, insistant, se penchant jusqu'à ce que leurs nez se touchent presque.

Vanya se mit à secouer brusquement la tête de gauche à droite, comme soudain victime de la danse de Saint-Guy. Ses yeux étaient fixes, agrandis.

Hildred s'interposa de nouveau.

— Je ne la laisserai pas répondre, déclara-t-elle. Tu es un idiot, si tu crois pouvoir obtenir quoi que ce soit de cette manière. Si tu avais la moindre intelligence, tu n'aurais pas à poser de question. Lis tes livres — c'est la seule façon d'apprendre, pour toi.

— Ah, vraiment ? fit-il. (Ils étaient dressés l'un contre l'autre, les lèvres retroussées en un rictus, montrant les dents comme deux corniauds pelés se disputant un os.) Je ne sais peut-être pas tout, mais j'en sais déjà assez pour l'expédier tout droit en prison. Ça te fait rire, ça ?

— Pauvre imbécile, s'écria Hildred, secouant la tête d'un air de défi. Qu'est-ce que tu veux dire par là ?

— Ce que je veux dire ? Simplement ceci : Que

l'amour platonique est une chose, mais qu'appeler une femme sa *chère petite lesbienne* est tout à fait autre chose. Peut-être ta bonne amie ici présente voit-elle à quoi je fais allusion... Eh bien, Vanya, qu'est-ce que tu en dis ? demanda-t-il après un silence. Tu sais où je veux en venir. Pourquoi ne parles-tu pas ?

Vanya s'adossa au mur, les mains enfoncées dans les poches de son jean. Elle fixa sur lui un regard pénétrant.

— Bien, te voilà convaincu que je suis lesbienne, à présent, n'est-ce pas ? Et ta femme, elle est quoi ?

Elle parlait avec un calme et une détermination absolus. Elle fit une courte pause pour laisser à ses paroles le temps de produire leur effet, et allait continuer lorsque Hildred l'interrompit :

— Parfaitement ! Si c'est une lesbienne, alors moi aussi, j'en suis une.

Elles échangèrent un bref regard. « Prends ça, pauvre type ! » semblaient-elles dire.

— Qu'est-ce qu'une lesbienne, pour toi, de toute manière ? reprit Vanya, avec une maîtrise totale. Tu dis que je suis une lesbienne. Et pourquoi ? Parce que tu as lu mon courrier, une fois de plus ? Je te connais. Tu es un rat. J'ai laissé les lettres traîner exprès... Oui, exprès. Je veux mettre un terme à ces absurdités. Je suis écœurée de te voir sans cesse tourner autour du pot. Décide-toi, prends un parti ou un autre, sinon...

Hildred intervint.

— Je vais régler cette question moi-même, dit-elle, se tournant vers Tony Bring, le visage en feu. Je n'ai pas l'intention de tolérer plus longtemps ces affronts... Tu as compris ? Si quelque chose ne va pas dans cette maison, c'est moi la responsable. Pourquoi ne la laisses-tu pas tranquille ? Pourquoi ne t'attaques-tu pas à moi,

143

espèce de lâche ? Je peux te donner tous les renseignements que tu voudras.

— Très bien, alors *vas-y* !

Il y eut un silence. Un camion passa, ébranlant l'immeuble jusqu'aux fondations.

— Eh bien... ? Qu'est-ce que tu veux savoir ? Hildred tapait du pied avec impatience.

— *Tout*, répondit-il simplement.

— Sois plus précis. Il y a une minute, tu portais toutes sortes d'accusations. On va les examiner, une par une... Quand tu voudras.

Il sentit une fatigue accablante l'envahir. Soudain, tout cela semblait d'une stupidité indicible. Ils étaient comme trois boules sur un billard. Avec la première bille, on prenait un angle, et si le mouvement du poignet s'accordait aux lois de la mécanique, de la balistique, de la trigonométrie et du reste, la bille rouge venait frapper la bille blanche, et toutes trois s'entrechoquaient avec un claquement sec. Et si elles s'entrechoquaient, cela vous donnait le droit de tirer de nouveau. Et si l'on parvenait à garder les trois billes réunies, si on les promenait, comme on dit, on avait droit à tant de coups en plus. Il choisit un coup long, ferma les yeux. Raté. C'était au tour de quelqu'un d'autre. Il demeura un moment à regarder la partie en silence, partagé entre leur discours absurde, mensonger, et la crainte qui s'agitait en lui.

Tout à coup, une remarque de Hildred l'atteignit par la bande, touchant un point sensible.

— Qu'est-ce que tu racontes ? s'écria-t-il, hors de lui. Arrête, tu entends ! Un mot de plus et je t'assomme ! Nom d'un chien, les gens de votre espèce sont capables de tout... de tout. Qu'est-ce que tu essaies de me dire, que tu pensais que j'étais peut-être un... ? Écoute, si jamais tu utilises ce mot-là en parlant de moi,

144

je te défonce le crâne. Tu me dis que tu as été jalouse... jalouse d'un ami à moi. Bon dieu, mais si je pensais un seul instant que tu dises la vérité, je t'étriperais vivante. Mais je ne te crois pas... Je ne te crois pas ! Tu es une menteuse, jusqu'à la racine des cheveux. Même la corde au cou, tu mentirais. Et à présent, tu mens parce que tu ne sais plus comment t'en sortir. Tu prétendrais que je suis fou, si tu croyais pouvoir sauver la face de cette manière. Tu raconterais n'importe quoi ! Tu es corrompue, tu es gangrenée, tu es malade ! Alors, comme ça, un jour, tu as cru que j'étais homo... ou presque. C'est une trouvaille géniale... géniale... Tiens, je vais me mettre une cravate rouge et je vais aller me vendre. Je pourrais peut-être rapporter un peu d'argent, moi aussi, avec de la persévérance. Homo à louer, à la semaine ou au mois, loyer modéré. Un homo *respectable*, avec une femme, un foyer...

Tandis que se déroulait cette scène, de plus en plus violente et grossière, Vanya demeurait assise toute droite, les lèvres scellées, avec l'expression impénétrable d'une statue. De temps à autre, lorsque venait la frapper une épithète particulièrement ignoble lancée dans sa direction, un frisson la parcourait. Quant à Tony Bring, il paraissait avoir perdu la tête. Il arpentait sans cesse la pièce à grands pas, agitant le poing vers Hildred, puis vers Vanya, vomissant les obscénités les plus odieuses, les plus blessantes. Il les injuriait, les traitait de tous les noms, les fustigeant dans les termes les plus abjects. Jusqu'alors, Vanya avait réussi à garder son impassibilité de sphinx. Mais quand, dans une ultime bouffée de rage, dansant comme un pantin devant elle, la menaçant, la couvrant d'injures, crachant à ses pieds, il hurla « salope ! », elle ne put en supporter davantage. Bondissant sur ses pieds, les yeux fous, des yeux de maniaque, elle se mit à rendre insulte pour insulte, juron pour juron. Tout cela culmina en un déchaînement hystérique de haine et de rage. Hildred se jeta sur le lit, tentant d'étouffer ses sanglots dans l'oreiller. Tony Bring resta de marbre. Elle a enfin compris sa douleur, apparemment, se disait-il. Tant mieux ! Qu'elle en profite, qu'elle savoure un peu les tourments de la vie.

Après une accalmie, il se tourna vers Vanya, qui s'était un peu radoucie, et déclara, de son air le plus conciliant :

— Maintenant que le feu d'artifice est terminé, envisageons les choses intelligemment. Voyons si nous pouvons nous comprendre.

Vanya arpentait la pièce, le regard encore égaré, les doigts agités de mouvements spasmodiques, de minces jets de fumée fusant de ses narines, la poitrine couverte de cendres. Aiguisée comme une lame, venimeuse, elle flambait de la tête aux pieds. Ce qui venait de se produire n'était guère qu'une séance d'échauffement, pour elle. Elle était furieuse que Hildred eût flanché de manière aussi lamentable. C'était de la lâcheté, de la lâcheté pure, typiquement féminine, c'était dégoûtant. Elle se tenait prête, non seulement avec sa langue, mais avec ses mains aussi. Qu'il essaie seulement... Qu'il lève le petit doigt sur elle ! Elle le casserait en deux... le briserait en mille morceaux... elle le massacrerait.

Quand on lui demanda si elle souhaitait apporter son concours, Hildred ne répondit pas ; ses épaules se soulevèrent convulsivement, et sa tête s'enfonça un peu plus profondément dans l'oreiller. A l'évidence, c'était leur affaire, à tous les deux. C'était aussi, non moins clairement, ce que pensait Vanya ; les lèvres durcies, étirées en un rictus, le regard agrandi, aveugle, elle lui fit signe de continuer, d'un hochement de tête.

Mais à l'instant même où il ouvrait la bouche commença de défiler dans sa tête, comme un contrepoint à ce qu'il disait, une étrange procession de silhouettes — des figures grotesques de bois et d'ivoire, aux seins allongés, distendus, leurs membres bizarres enluminés de bleus crus et de rouges. L'une d'elles, d'origine soudanaise, était assise sur un tabouret soutenu par une grappe de créatures plus petites. Une colonne fine, délicate, partait de sa cage thoracique jusqu'à ses parties génitales. Mais son caractère extraordinaire résidait surtout dans un objet qui s'élevait du plateau formé par le bassin du monstre. Au musée où elle l'avait vu, dernièrement, les visiteurs l'examinaient avec attention, puis secouaient la tête et échangeaient en coin des commentaires animés, à voix basse, sans quitter des yeux le membre qu'étreignaient fermement des doigts raides et peints. C'était une espèce de sexe double, à la fois phallus et lingam, encore que cela ne suffît pas à rendre son caractère exotique. Pour accéder à sa signification, il fallait remonter jusqu'aux origines de la race, pénétrer non seulement les cérémonies mystiques de l'homme primitif, mais plus loin encore dans le temps, jusqu'aux féroces orgies nuptiales du monde des insectes, un monde d'aberrations sexuelles, un monde de désir et de terreur, au-delà de toute conception humaine.

Telles étaient les pensées qui défilaient dans sa tête, tandis qu'elle l'écoutait. Dieu sait que ses pensées, à lui aussi, étaient tout sauf banales. Elles semblaient suivre le cours de ses paroles, coulant comme un fleuve canalisé par les parois d'une gorge. Les murs compacts, massifs, maîtrisaient le flot tumultueux qui jaillissait loin en amont, des innombrables racines de son âme ; c'était sans aucun doute leur fonction, de se dresser là, inébranlables, pour étrangler cette énergie aveugle et destructrice qui, sinon, dévasterait le monde et n'aboutirait qu'à son propre néant. Ses pensées jaillissaient, bondissant en avant, formant de larges tourbillons qui s'élevaient en une écume éblouissante avant de retomber, entraînés dans une chute mousseuse. Tout ce que l'on pouvait espérer de cette lutte incessante, c'était la victoire de l'érosion. C'est ainsi que, confusément, le conflit se dessinait dans son esprit. Ses paroles étaient infiniment plus claires. C'était comme la différence qui existe, en musique, entre le son et l'écriture. Ce que sa langue exprimait n'était guère que la mélodie ténue qui maintenait cohérent cet extraordinaire tissu de pensées et de sentiments...

Au fur et à mesure qu'il parlait, sa voix se faisait plus douce, plus apaisante ; il s'interrompait de temps en temps, pensant qu'elle profiterait de l'occasion pour placer un mot, mais elle demeurait silencieuse ; son hostilité décroissait sans cesse. Il lui rappela brièvement la fois où Hildred s'était enfermée dans la petite chambre, quelques jours auparavant. Que s'était-il passé, là, derrière cette porte verrouillée ? Quelle drôle de question. Il s'imaginait peut-être qu'elles allaient y répondre. Mais elles avaient au moins admis une chose — après une dispute terrible, après qu'il leur eût littéralement arraché un aveu : *elles s'étaient enfermées pour s'embrasser !* Bien. Il était inutile de pousser plus avant. Peut-être la meilleure solution serait-elle de soumettre le cas à un jury, un tribunal impartial, composé d'experts. Chacun choisirait son juré. Chacun donnerait sa version des faits.

A ce moment, Hildred ressuscita brusquement.

— Toi, tu la boucles ! hurla-t-il.

— Non ! Laisse-la s'exprimer, intervint Vanya. Cela la concerne autant que nous.

— Elle est hors du coup, et elle n'a qu'à la boucler,

c'est tout. Es-tu prête à accepter ma proposition ? reprit-il, tournant le dos à Hildred.

C'était comme le moment décisif dans un combat, lorsqu'un des adversaires fléchit soudain après un mauvais coup. Il était sur le point de la mettre à genoux quand Hildred s'interposa de nouveau.

— Il n'est pas question qu'elle accepte une chose pareille, déclara-t-elle, se levant avec une dignité d'impératrice à l'agonie.

La proposition était grotesque, d'un bout à l'autre. Il n'existait simplement pas d'expert compétent pour juger de cela. De plus...

— De plus... ?

— Quoi que l'on puisse dire, cela ne changerait rien pour moi.

— Même si...

— Même si le monde entier considérait que...

— Que quoi... ?

— Qu'elle est désaxée... invertie, pervertie, tout ce que tu voudras. Quoi qu'on puisse dire, je ne la quitterai jamais...

C'était on ne peut plus clair. Il arrive un moment où le contact de la réalité devient si aigu que l'on n'est plus un simple individu tourmenté par telle ou telle situation, mais une chair vivante que l'on découpe en tranches... Ce qui, un instant auparavant, semblait être une planète habitée, une splendeur palpitante dans un univers de ténèbres, se transforme soudain en une chose morte comme la lune, brûlant d'un feu glacé. En de tels instants, tout nous est dévoilé — la signification des rêves, la sagesse qui précède la naissance, la survivance de la foi, l'absurdité qu'il y a à être un dieu, etc.

# CINQUIÈME PARTIE

# 1

Tony Bring était assis dans l'obscurité, les mains enfoncées dans les poches de son pardessus, le col relevé, le chapeau baissé sur ses yeux. Il faisait froid et humide, ici ; c'était comme être assis dans un caveau, sans même un cierge allumé. Une odeur fétide sourdait des murs — une puanteur douceâtre, écœurante, une odeur de lèpre. Les pensées gargouillaient dans son crâne, comme la musique de la tuyauterie, dans la chambre de Vanya. Il les examinait, comme on étudie un frottis sous la lentille du microscope.

La sonnette retentit. Je ne bouge pas, se dit-il, je ne suis pas là. Un grattement se fit entendre à la fenêtre, puis des petits coups précipités. Il se leva, alla écarter le rideau. C'était son ami Dredge, un large sourire aux lèvres. Il traversa le vestibule en contrebas, et ouvrit la lourde porte. Dredge souriait toujours.

— Qu'est-ce que tu fabriques, tout seul, dans le noir ?

— Je réfléchissais, c'est tout.

— Tu réfléchissais ?

— Ouais, ça ne t'arrive pas, quelquefois ?

— Et tu as besoin de rester dans le noir, pour réfléchir ?

Il alluma une bougie, pendant que Dredge s'installait sur le siège le plus engageant, avec son éternel sourire réservé et courtois. C'était son vingt-huitième anniversaire, et il avait bu un verre ou deux dans sa chambre avant de passer.

— Tu sais, déclara-t-il, ça rend les gens fous, de rester assis dans le noir, comme ça. Je vais te dire ce qu'on va faire. Tu vas m'accompagner à ma piaule, et on va boire un petit coup. Après, on sortira, et on fera la fête.

Un peu plus tard, ils étaient assis chez Paulino, dans le Village. C'était une pagaille totale. Tout le monde était bourré. Une chouette équipe : des joueurs, des flics en civil, des malfrats, des agents fédéraux, des patrons de grands journaux, des acteurs de music-hall, des Juifs à l'humour acéré, des pédérastes fielleux, des danseuses, des étudiants, avec leur signe du zodiaque imprimé sur leur imperméable... Une bouteille de vin gratuite était posée sur chaque table. Tandis qu'ils mangeaient, une foule de clients s'amassait dans le vestibule, prêts à se jeter sur les places libérées.

En sortant, titubants, ils se sentaient particulièrement en forme. Alors qu'ils descendaient la Sixième Avenue, ils furent suivis par un maquereau, un gnome qui tenait absolument à leur donner sa carte, leur décrivant de manière plus ou moins imagée les différentes femmes qu'il pouvait proposer. Juste après un marchand de cigares s'ouvrait un dancing. Il était bondé. Boire, encore... Encore de l'alcool infect, répugnant. D'où provenait tout cet alcool ? New York n'était qu'un immense fleuve de tord-boyaux.

Comme ils se tenaient tranquillement appuyés au mur, une bouteille de ginger-ale à la main, un cri aigu s'éleva, et une jouvencelle se précipita hors des toilettes, disant qu'elle avait été agressée. Un coup de feu claqua, des tables furent renversées. En un clin d'œil, comme dans une comédie de Mack Sennett, les flics apparurent. Ils envahirent toute la salle, distribuant généreusement les coups de matraque. Se saisissant de la jeune femme, ils la firent sortir manu militari. Puis la musique reprit, et les serveurs commencèrent à essuyer le parquet. Personne ne pouvait dire qui avait tiré, et personne ne semblait désireux de le savoir. C'était l'heure de danser. C'était l'heure de s'en jeter un. Dredge regardait autour de lui, cherchant une cavalière. Toutes en main. On aurait dit une braderie. Ils attendirent la danse suivante. Pas une de libre, de nouveau...

Dehors, le type faisait le pied de grue avec ses cartes. Il secoua la tête d'un air de désapprobation.

— Suivez-moi, insista-t-il. Des mignonnes à gogo... Et quand je dis mignonnes... !

— Demain, dit Dredge.

Ils flânèrent tranquillement par les vieilles rues pittoresques. Les boîtes portaient des noms suggestifs, mais c'est bien tout ce qu'elles avaient pour elles. C'était là le décor d'une vie de bohème, pour de piètres comédiens. L'infamie, le vice, la joie, la misère — tout n'était que fiction.

— Je suis écœuré du Village, déclara Dredge. Cela faisait des années qu'il disait cela.

A l'instant même, une porte s'ouvrit, et ils entr'aperçurent l'intérieur d'un bar. Ils y pénétrèrent sans plus de cérémonie. C'était une de ces boîtes ouvertes à tout le monde et à n'importe qui, du président jusqu'au crève-la-faim. Un bar d'acajou, avec un repose-pieds de cuivre, des miroirs savonnés, des calendriers, des photos de boxeurs et de soubrettes, découpées dans la *Gazette de la Police*. La seule innovation était la présence de l'autre sexe. Autrefois, l'élément féminin de la clientèle se cantonnait dans l'arrière-salle. Elles n'avaient pas le droit de se tenir au bar, à raconter des histoires salées ou se vanter du nombre d'hommes avec lesquels elles avaient couché. On n'avait pas besoin non plus de les traîner dehors avec une gaffe lorsque l'établissement fermait. Non, autrefois les filles de joie savaient parfois se comporter en dames, ou au moins essayaient-elles ; l'époque moderne contraignait les dames à se comporter comme des putes.

En tout cas, c'est la conclusion à laquelle ils arrivèrent tous deux, tout en s'octroyant quelques petits verres. Ils discutèrent de cet état de choses, en long et en large. Ils trouvaient gênant de devoir se frotter ainsi à ces respectables prostituées de dix-huit ans.

Ils descendaient maintenant la Cinquième Avenue ; leurs pas les avaient conduits dans Washington Square, à présent désert et silencieux. Près de l'arche, ils s'arrêtèrent pour donner libre cours à un petit accès de sentimentalisme. Autrefois New York avait un charme particulier — Haymarket, Huber's Museum, Tom Sharkey's, le Village allemand. Il y avait aussi Barnum, et Thomas Paine, et O'Henry... C'était fini, tout ça. Aujourd'hui, c'était les gratte-ciel, les youpins, les garçonnes, les self-services automatiques. Dredge évoqua longuement le Luneta, à Manille. On était mille fois mieux là-bas, ou à Nagasaki ; là-bas, il y avait des maisons avec une lumière rouge au-dessus de la porte et, à l'intérieur, des poupées magnifiques, aux lèvres semblables à des cerises bien mûres, aux yeux en amande...

Un taxi s'arrêta au bord du trottoir. Le chauffeur se pencha pour leur faire signe. Aimeraient-ils connaître un endroit agréable, tranquille, raffiné, etc. ? A entendre ces accords de harpes, on aurait cru qu'il promettait un Éden de houris et de musc.

Dredge était sceptique — cela paraissait trop beau, cela évoquait trop l'époque où le Guadalquivir jetait ses feux miroitants, où...

156

— Nom d'un chien, vous ne voulez tout de même pas aller dans un bar quelconque, où l'on vous attend avec un gourdin ? reprit le chauffeur, pour achever de les convaincre. Montez, conclut-il d'une voix enjôleuse, et si ça ne vous plaît pas, vous pourrez toujours aller voir ailleurs. Je ne vous aiguillerais pas sur un boui-boui.

Ils étaient à peine montés qu'il se lançait dans une campagne de propagande forcenée.

— Ça va vous plaire, c'est sûr ! cria-t-il par la vitre.

Le ton qu'il avait employé irrita Dredge.

— Ce n'est pas forcé de nous plaire, répliqua-t-il.

— Tais-toi, intervint Tony Bring. Ne commence pas à te disputer avec lui. Voyons où il nous emmène.

Quelque part du côté de la Quarantième Rue, ils s'arrêtèrent devant un immeuble de bureaux, d'aspect imposant. Un rideau de fer barrait l'entrée. Dans le hall, un flic discutait avec le garçon d'ascenseur. Tous les cinq s'entassèrent dans la cabine. Le liftier sifflotait, tandis que défilaient les étages. Il avait une figure jaunâtre et marquée, le genre de tête que l'on trouve devant l'entrée des cabarets de troisième ordre, par une soirée froide et pluvieuse.

Soudain, il y eut un éclaboussement de lumière cristalline, des tapis de velours, des colombes étincelantes de paillettes, leur dos frais comme de l'albâtre, leurs lèvres vermillon frissonnant comme de minuscules vaguelettes. D'une alcôve invisible émanaient des accords feutrés qui amollissaient tous leurs membres. Il régnait une odeur de chair sucrée, de roses lourdes, agonisantes, de membres poudrés tourbillonnant, de poissons rouges sommeillant dans un bocal tiède. La porte se referma, et l'ascenseur disparut. Ils échangèrent un regard d'impuissance. Pris au piège. Ensorcelés. Enfermés dans le cercle diabolique.

157

Quelqu'un se tenait tout près d'eux, babillant sans cesse d'une voix suave, enjôleuse, et juste à côté, le chauffeur de taxi, la main tendue. Tony Bring donna un coup de coude à son compagnon.

— Il veut que tu lui donnes quelque chose.

— Mais c'est fait, dit Dredge.

— Eh bien, donne-lui davantage, alors.

— Pour quoi ?

— Pour nous avoir conduits dans un endroit si agréable, si tranquille et si raffiné.

Le Grec qui les entraîna à sa suite avait tout d'un assassin aux manières courtoises, au visage avenant. Il acquiesçait à tout. Ses mains étaient blanches et veloutées, et ses yeux fureteurs, profondément enfoncés, brillaient comme des agates. Arrivés au vestiaire, ils jetèrent un regard timide alentour. De magnifiques papillons, tirant leur cocon après soi, planaient de-ci de-là, se posant un instant pour reposer leurs ailes, ivres de leur propre érotisme, semant sur leur passage une pluie de pétales et de paroles légers comme de la gaze.

La table à laquelle on les conduisit émergeait comme un navire en perdition dans une brume de vin fumant. Des éclats d'argenterie et de cristaux fracassés se dissolvaient en poussière de feu. Des lettres d'obsidienne semblaient jaillir de la carte des consommations... Tant de raffinement leur donnait le frisson.

Ils étaient à peine assis que deux colombes venaient se poser près d'eux. Dredge tenta vainement de se lever, tandis que Tony Bring passait sa main sur sa barbe d'un air méditatif, jetant un bref coup d'œil à sa chemise fripée, dans le miroir à côté de lui. Les présentations furent rapides et sympathiques. Le Grec se frottait les mains, des mains lisses et douces. La langue remuait doucement entre ses dents blanches et lisses. Tout était doux et lisse comme un fourreau d'épée flambant neuf.

Mlle Lopez, d'ascendance espagnole et de sensualité passablement excessive, leur demanda immédiatement s'ils n'avaient pas soif. Question elle-même formulée d'une voix altérée, comme si toute sa vie n'avait été qu'un désert asséché par les moussons. L'autre, Mlle Saint-Clair, déclara avoir une folle envie de danser. Elle s'empara de Dredge et, avec un grand raffinement de manières, le traîna jusqu'à la piste pour un petit échauffement. Mlle Lopez employait une autre stratégie. Son truc était de feindre un évanouissement entre vos bras.

Ils s'étaient à peine rassis que l'orchestre se remit à jouer, sur quoi Mlle Lopez parut soudain galvanisée. Il s'agissait d'une de ces attractions au cours desquelles la chanteuse circule entre les tables, livrant son cœur à chacun, tandis que la musique fait soudain s'ouvrir en grand toutes les fenêtres de son âme. Mlle Lopez s'arrêtait à chaque table, juste le temps nécessaire pour émouvoir le portefeuille de celui qu'elle fixait d'un regard noyé puis, fourrant les billets dans son bustier, elle le gratifiait d'un ou deux trémoussements supplémentaires avant de poursuivre plus loin — tout cela sans cesser de chanter, tandis que les musiciens reprenaient sans cesse le refrain. La chanson parlait d'amour… « je t'aime… Je t'aime… » Il semblait qu'il n'y eût guère d'autres paroles. Le récital prit fin devant les cocktails que Dredge avait commandés. Tout en insufflant aux paroles usées un ultime écho de tendresse, elle s'abattit sur la banquette, tel un ange rendant le dernier soupir.

A présent, les filles avaient une soif extraordinaire. Elles commandèrent du sauternes et, après en avoir

siroté quelques gorgées, s'excusèrent et s'envolèrent
d'un coup d'aile.

— Tu ferais bien de compter ton pognon, dit Tony
Bring.

Dredge sortit un rouleau de billets. Il y avait là trente-
sept dollars.

— C'est tout ce que tu as ? demanda Tony Bring.

— Comment ça, c'est tout ? répéta Dredge, faisant
de son mieux pour paraître stupéfait.

— Écoute, Dredge, réveille-toi ! C'est un endroit
agréable, raffiné...

Dredge s'abrita derrière son éternel sourire affable
et discret.

— Je ne sais pas ce qui va se passer, déclara-t-il, et
qui plus est, je ne veux pas le savoir. J'ai déjà été flanqué à la porte d'établissements plus chics que celui-là.
Laisse tomber !

Mais Tony Bring ne pouvait pas laisser tomber, pas
aussi facilement, en tout cas. Il pensait à ce qu'avait
dit le chauffeur de taxi... Et aussi à cet assassin au visage
avenant, aux gants de velours !

En revenant, les filles remarquèrent immédiatement
leur air pensif. Mlle Lopez se pencha sur l'épaule de
Tony Bring, et lui murmura quelque chose à l'oreille.
Il sentait sa main brûlante au travers de son pantalon.

— Juste un petit baiser, chuchota-t-elle et, se renversant entre ses bras, elle attira sa tête vers elle, colla
ses lèvres aux siennes, et ne bougea plus. La lumière
baissa et, tandis que frémissaient à leurs oreilles les premiers accords de « La chanson du Cachemire », elle
s'accrocha à lui, en extase. Tout autour d'eux haletaient
des nymphes, défaillant dans les bras de leur partenaire.
On se serait cru par une chaude nuit de printemps au
pied de l'Himalaya, quand les pigeons commencent
leur parade d'amour, quand, parmi le feuillage mouillé

de la forêt, s'éveille un bruissement, un murmure, une éclosion de bourgeons odorants, un mouvement imperceptible, un émoi qui rend le sang plus lourd.

— J'adore la chemise que tu portes, chuchota Anita, se lovant contre lui. Elle avait laissé tomber le « Mlle Lopez » après la seconde danse.

Tony Bring s'observa derechef dans le miroir.

— C'est la seule que j'aie, balbutia-t-il.

La remarque mit en joie Mlle Saint-Clair. « Sa seule chemise ! » répéta-t-elle plusieurs fois, la tête rejetée en arrière, se tenant les côtes pour ne pas éclater de rire.

— C'est la vérité, dit-il. Je n'ai pas un sou vaillant.

Anita lui jeta un regard de menace puis, mutine, lui décocha un petit coup dans les côtes.

— Je sais, dit-elle, roulant des yeux, l'air faussement blasé. Je connais la chanson.

Dredge assistait à tout cela avec un large sourire. Peu lui importait qu'on les jetât dehors maintenant ou plus tard. La farce était plaisante, et personne ne semblait s'ennuyer.

Les jeunes femmes paraissaient avoir quelques problèmes de vessie — elles s'excusèrent de nouveau. Cette fois, elles étaient à peine parties que le garçon faisait son apparition. C'était un nouveau serveur, plus stylé que le précédent, dans sa mise comme dans son attitude. Sans un mot, il leur présenta l'addition. Dredge y jeta un coup d'œil et regarda le serveur.

— Nous ne partons pas encore, dit-il d'un air qu'il voulait détaché.

Nous y voilà, pensa Tony Bring.

Le serveur demeurait immobile, raide, tandis que Dredge vidait ses poches. Il plaqua brutalement les billets fripés sur la table. Le serveur les compta, sans faire mine de les prendre. Puis, d'un geste brusque, insolent, il saisit l'addition et l'agita sous le nez de Dredge.

— Cinquante-cinq dollars, dit-il.

— Pour quoi ? demanda Dredge. Pour quoi ?

— Écoute, Dredge, ne fais pas d'histoires.

— Mais où veux-tu que je trouve cinquante-cinq dollars ? Tu sais bien ce que j'ai sur moi. Eh bien, je lui donne ce que j'ai, et c'est tout ce qu'il aura.

Sur quoi, il ramassa l'argent et le fourra dans sa poche.

Bientôt, le Grec les avait rejoints. Il se frottait les mains. Il avait tout vu de loin.

— On dirait qu'il y a un petit problème ? demanda-t-il d'une voix aimable, conciliante.

Le serveur lui marmonna quelque chose à l'oreille.

— Oh, il ne s'agit que de cela ? Il semblait sincèrement surpris. Se tournant vers Dredge, il lui parla d'un ton toujours égal, affable et cordial. Il s'autorisa quelques questions polies puis, comme si l'idée lui en venait brusquement, déclara :

— Peut-être le mieux serait-il que vous m'accompagniez chez le directeur financier, pour discuter de tout cela. Nous devrions parvenir à régler ce petit problème de manière satisfaisante. Il ne s'agit guère que de cinquante-cinq dollars.

Tony Bring demeurait assis, raide, les yeux rivés au mur. Il se demandait comment Dredge allait se tirer de ce « petit problème ». Les filles n'étaient pas réapparues. L'orchestre jouait toujours, mais la musique semblait moins entraînante, à présent. On avait ôté les verres, et la table était nue.

Le temps se traînait. Personne ne venait le voir. Il s'agitait sur son siège, passait la main sur sa barbe mousseuse. Il avait perdu son bouton de col.

Bientôt, Mlle Saint-Clair fit son apparition. Anita avait été appelée à une autre table pour un petit moment. Ne voulait-il pas lui commander un autre cocktail ? Rien qu'un ? Et où était passé son ami ? Tout cela sur un ton d'ingénuité absolument stupéfiant. Quand il lui annonça que Dredge était en train de régler un problème d'addition, elle posa une main devant sa bouche et bâilla.

— Offrez-moi un petit verre, supplia-t-elle.

— Mais je ne peux pas ! Je n'ai pas un centime sur moi.

— Vous parlez sérieusement ? fit Mlle Saint-Clair.

Cette fois, elle semblait se rendre compte qu'il ne mentait pas. Sa voix trahissait non seulement le mépris, mais aussi l'effroi, comme s'il avait soudain tiré un lézard de sa poche et l'avait posé devant elle.

Quelques instants s'écoulèrent dans la gêne. Ils demeuraient ainsi, sans se regarder, elle pianotant furieusement, lui contemplant au-dessus de sa tête une peinture murale représentant un Svengali plantant ses ongles longs et acérés dans un groupe de dipsomanes.

Quand Dredge réapparut enfin, il arborait un sourire rayonnant. Comme précédemment, il était accompagné par le Grec, son factotum, et le serveur habituel.

— Qu'est-ce que vous buvez ? demanda-t-il immédiatement. Pour moi, ce sera un petit scotch, dit-il au serveur. Puis, sur un ton légèrement irrité : Où est passée Anita ? Dites-lui qu'on la réclame.

Il s'assit.

— Tout va bien, dit-il. Vas-y, amuse-toi. Si Anita ne te plaît pas, nous demanderons quelqu'un d'autre. Nous payons pour ça, et nous en aurons pour notre argent.

— Écoute, Dredge, c'est très amusant, mais explique-moi un peu... J'ai l'impression d'être assis sur une planche à clous.

Dredge tira un cigare de sa poche intérieure, en

163

coupa l'extrémité, prenant tout son temps et, entre deux bouffées, se mit en devoir de raconter son histoire :

— C'est simple, dit-il. Ils voulaient savoir si j'avais un compte en banque, et où, et de combien. Je leur ai donné le nom de la banque de Keith. Comment vérifier ? Ils m'ont fait attendre, pendant qu'ils effectuaient des recherches. Des recherches ! Comment diable peut-on effectuer des recherches à cette heure-ci ? Finalement, ils ont déclaré que tout était en règle, et ils m'ont fait signer un chèque en blanc.

— Alors, il n'y a plus de problème ?

— Aucun ! Tu prends ce que tu veux.

Anita revint avec Mlle Saint-Clair et s'assit d'un air charmant, les enveloppant dans la chaleur de son sang andalou. La nuit s'écoulait. Le champagne coulait à flots, ainsi que le malaga — car Anita avait succombé à une crise de *Heimweh*. Ils parlèrent de corridas auxquelles ils n'avaient jamais assisté, et Dredge tenta d'aborder des sujets intéressants, comme le Luneta, à Manille, et les mines de chewing-gum du Mexique. Régulièrement, un videur faisait son apparition, traînant quelque pauvre diable, ivre mort, jusqu'à l'arrière-salle où, avec l'aide d'un flic et d'un chauffeur de taxi, on le passait à tabac.

L'aube était levée quand Tony Bring quitta Dredge. Le vestibule du sous-sol était encore plongé dans l'obscurité. Il trébucha et s'effondra sur la porte. La vitre trembla. Le silence retomba, un silence profond, mystérieux. Il ouvrit la porte et tâtonna dans le noir, à la recherche d'une bougie.

— C'est toi ? fit la voix de Hildred.

Il tituba jusqu'au lit, la bougie à la main. Quelqu'un était couché à côté d'elle dans le lit, à plat ventre, inconscient de tout.

164

— Qui est-ce ? demanda-t-il.

— Mon dieu, mais tu es ivre ! s'écria Hildred.

— Peu importe... Qui est couché là ? C'est Vanya ?

— Chhhhuuut...

— Il n'y a pas de « chut ! ». Fais-la dégager. Vite !
Qui l'a autorisée à dormir à ma place ? Hé, on se
réveille, là ! Hé, Vanya !

Vanya se retourna, l'air abruti, et cligna les paupières. Posant sa bougie sur le sol, il passa ses bras autour
d'elle et entreprit de la tirer hors du lit.

— Doucement ! Attends une minute ! s'écria-t-elle.
Mais enfin, qu'est-ce que cela veut dire ? Une bouffée
de son haleine lui parvint tout à coup : *Encore saoul ?*
dit-elle.

— Encore rien du tout. Qu'est-ce qui te prend de
dormir dans mon lit ? Et il la tira plus violemment.

— Lâche-moi... Tu m'arraches les bras ! cria-t-elle
d'une voix perçante.

Comme Hildred tentait de l'écarter, il lança son
poing à l'aveuglette et l'atteignit au bas-ventre. Elle
poussa un gémissement et s'effondra sur le sol. En un
clin d'œil, Vanya était à ses côtés.

— Vite... Va chercher de l'eau ! s'écria-t-elle. Elle
est blessée.

— Vas-y toi-même ! Je ne l'ai même pas touchée.
C'est agréable, comme réception ; on rentre chez soi,
et on doit se battre pour se coucher. C'est *mon* lit, tu
as compris ? Dorénavant, je ne veux plus t'y voir.

Vanya se précipita à la salle de bains. Hildred gisait
sur le sol, là où elle s'était effondrée, les mains pressées contre son bas-ventre, gémissant. Tony Bring se
laissa tomber sur le lit.

— Pourquoi faut-il que vous en fassiez toute une histoire ? grommela-t-il. Un type ne peut pas prendre une
petite cuite de temps à autre sans que cela fasse un tel

165

raffut ? Allez, ne reste donc pas vautrée par terre comme une mule à l'agonie. Remue-toi un peu !

Il roula sur le lit, laissant échapper un rugissement léonin.

— Nom d'un chien, ça tourne... C'est ce champagne... c'était trop. Beaucoup trop. Il se mit à chanter faux, d'une voix chevrotante : « Laisse-moi t'appeler chérie, je t'ai-ai-me... »

— Silence ! dit Vanya, le secouant sans ménagements. Tu vas réveiller les voisins.

— Où est Hildred ? Pourquoi ne se couche-t-elle pas ? Je veux que ça cesse, toutes ces combines... *C'est compris ?*

Lui parlant doucement, Vanya lui ôta ses vêtements et l'installa sous les couvertures. Puis elle alla chercher une serviette mouillée, qu'elle lui enroula autour de la tête.

— C'est parfait, dit-il. Vanya, tu es une chic fille.

Un peu plus tard, Vanya dut l'accompagner jusqu'à la salle de bains ; elle lui tint la tête pendant qu'il vomissait, penché sur la cuvette.

— C'est répugnant, dit-il, appuyé contre elle, grimaçant un sourire. Sors de là. Je vais essuyer. Mais comme il se penchait, la bile parut lui remonter dans la gorge, et de nouveau il fut malade, malade à en crever. « Quel sagouin, quel sagouin ! » répétait-il, la suppliant de le laisser seul, disant qu'il irait mieux dans un petit moment. C'est alors qu'il se rendit compte qu'il était en sous-vêtements, devant elle. Il la regarda et eut un faible sourire, un sourire idiot et fade, comme celui de Dredge. Il s'aperçut dans le miroir, le visage verdâtre, les yeux rouges et bouffis, la bouche souillée.

— Où est Hildred ? demanda-t-il. Je lui ai fait mal ? Qu'est-ce que j'ai fait ? Je ne l'ai pas frappée, tout de même ?

166

Vanya avait ôté la serviette de sa tête et s'employait à nettoyer la cuvette. L'odeur était abominable.

— Arrête, dit-il d'une voix faible, ne t'inquiète pas de cela, je le ferai demain matin. Soutiens-moi... Je suis mou comme une chique.

Quand il fut recouché, Vanya lui ôta son maillot maculé et l'enveloppa dans les couvertures.

— Voilà, murmura-t-elle, tandis qu'il gémissait, grelottant. Voilà... Endors-toi ! Tout va bien, Tony. Ne t'inquiète pas. Voilà... voilà. Elle tapotait la couverture, le bordant douillettement.

Il sombra instantanément. Déjà, Vanya avait rejoint sa chambre et se serrait contre Hildred dans le petit lit pliant.

— Ça n'est rien, murmura-t-elle, entourant Hildred de ses bras. Il était malade, il a dégobillé.

Bientôt, elles aussi dormaient paisiblement. Tout était silencieux, comme dans une crypte. Dans la rue, de temps à autre, un passant émettait une petite toux nerveuse, insignifiante.

## 2

Une fine pellicule de neige était tombée durant la nuit. Dans toute la chrétienté, en cette lumineuse matinée de givre, les gens se saluaient d'un « Joyeux Noël ! », avant de se rendre à l'église pour y verser quelques larmes. Même l'athée le plus endurci ne pouvait échapper à cette ambiance communicative. Depuis des semaines, l'Armée du Salut avait posté ses mendiants dans toute la ville, aux endroits stratégiques ; les hommes aux allures de moines défroqués se tenaient près d'un immense chaudron rempli d'argent, agitant une clochette ; les femmes également agitaient leur clochette, et secouaient leur tambourin, avec leurs doigts maigres et gelés. Le but de tout cela était d'apporter la paix sur la terre, d'empêcher les épaves humaines de la grande cité de se fourvoyer sur le mauvais chemin, de se tuer à boire, ou de s'inscrire au parti communiste. Tout le monde savait quelle bénédiction représentait l'Armée du Salut, et à quelle œuvre pie se consacraient les missions de sauvetage dans les taudis, à Chinatown, dans la Bowery — partout où fleurissaient la pauvreté, le vice et le crime. Et chacun, en passant devant ces Pères Noël émaciés, ces poignantes sœurs de charité qui chantaient si magnifiquement, lorsque résonnait la grosse caisse, lançait quelques piécettes, avec le sentiment d'avoir fait un geste pour aider la bonne cause à triompher.

Dans les grands magasins, on parlait de *bons* Noëls et de *mauvais* Noëls. On considérait vaguement, au-delà de toute notion de calcul, que l'importance du bénéfice finissait par contribuer à la gloire du Sauveur. Tout au long des semaines qui précédaient le grand jour, il n'était question que de chemises, d'épingles de cravate, de livres, d'appareils de photo, etc. Il fallait attendre la onzième heure, cette courte pause durant laquelle le chœur déversait sa douleur et sa détresse, pour que l'on accordât une pensée au Sauveur lui-même. Quel spectacle ce devait être pour lui, tout là-haut dans les nuages, assis à la droite du Père, écoutant les cloches qui carillonnaient, de voir tous ces pauvres bougres de la Bowery debout, alignés, en train de faire la queue pour la grande aumône. Quel sentiment sublime il devait ressentir, quand, abaissant son regard sur les recoins les plus sombres du monde, sur les terres barbares, il voyait des hommes autres que caucasiens — des hommes jaunes, des hommes noirs, aux cheveux crépus, des hommes avec un anneau dans le nez et des tatouages sur la poitrine — quand il les voyait tous lever les yeux vers le ciel pour bénir Son nom, pour entonner leur Hallelujah.

Tony Bring se réveilla un peu plus tôt qu'à son habitude, en cette lumineuse matinée de givre : il avait soif, une soif terrible, inextinguible. Ils avaient tous soif, en réalité, mais pour les autres, l'effort de sortir du lit pour aller jusqu'au robinet était trop pénible. Il rappela à Hildred qu'il était temps de se lever, qu'il se faisait tard, mais elle gisait, inerte comme une bûche, pressant doucement une serviette mouillée contre ses paupières.

— Nom d'un chien, s'écria-t-il, nous n'allons pas leur faire faux bond, pas aujourd'hui. En tout cas, pas moi !

Tandis que Hildred s'agitait vaguement, il s'installa

170

près de la fenêtre et se mit à feuilleter les ouvrages de Proust qu'elle lui avait offerts pour Noël. Sur la planche à tripes était posé un énorme bouquet de gardénias — cadeau de Hildred à Vanya. Leur parfum lourd et sensuel, associé à cette cohorte insensée qui effectuait une danse de Saint-Guy sur les murs, suscita en lui un délicieux mélange d'émotions, qu'amplifiait encore la vision de Hildred gisant là, dans la lumière tamisée, le visage blanc comme un masque mortuaire, ses lèvres s'écartant de temps à autre sur un gémissement fiévreux. Il se prit à songer à l'homme qui avait offert au monde cette œuvre inépuisable, ce petit géant maladif, enchaîné à son lit, qui, avec l'énergie du moribond, avait rédigé son inestimable traité d'entomologie sociale dans une chambre hermétiquement close, enveloppé de vêtements et de couvertures, son bureau recouvert de calepins, de médicaments et d'opiacés. Voilà un homme dont la vie n'avait été qu'une suite de souffrances et qui, par la grâce toute-puissante de son art, les avait transformées en une musique sublime, inoubliable.

Parallèlement, un autre train de pensées cheminait dans son esprit — l'idée que, dans peu de temps, il allait se retrouver devant ses parents âgés, affrontant leur regard interrogateur, tentant par un bavardage futile de chasser de leur tête la pensée taraudante de toutes ces années qu'il avait perdues. C'était cela qui faisait de chaque Noël un moment d'amertume et de regret, de mélancolie, de remords. Chaque année, quand ils se réunissaient, une espèce de calcul silencieux se faisait sur la table grinçante, un recensement du passé, des égarements, de la vacuité, des douleurs et des désillusions. Inévitablement, à un moment quelconque de cette journée solennelle, il fallait évoquer le passé, l'avenir brillant auquel il semblait promis, l'espoir qu'on avait placé en lui, etc. C'était comme si, quelque part dans ce passé — mais où, il ne pouvait le dire —, on avait tracé une ligne, une séparation qui laissait l'espoir de l'autre côté, au-delà des Alpes, et plaçait le malheur de notre côté, dans la vallée grise et désolée de l'avenir.

Et cependant, à cette humeur morose se mêlait une espèce de tendre pardon, silencieux, retenu, une compassion mélancolique comme on en témoigne aux fous et aux aveugles.

Le livre se faisait lourd dans ses mains. Revenant au texte, ses yeux rencontrèrent ces paroles étranges : « Nous sommes attirés par toute vie qui nous propose quelque chose d'inconnu, par la destruction promise d'une dernière illusion. » C'est le moment que choisit Vanya pour sortir de sa chambre, attifée d'une chemise de nuit et de bottes montant jusqu'aux genoux. « La destruction promise... La destruction promise... » Les mots se répétaient, comme un refrain — mieux encore, comme la note que répète sans cesse un chanteur invisible, quand quelque minuscule obstacle dans le sillon empêche l'aiguille de poursuivre son chemin. Et pendant qu'elle se tenait là, devant lui, garce dépenaillée, disgracieuse, le phonographe résonnait toujours dans sa tête — « La destruction promise... La destruction promise... » Imaginant avec ravissement l'effet produit si, tout à coup, il se mettait à brailler ce refrain d'une voix tonitruante, il éclata de rire, dans un rugissement qui fit bondir Hildred sur ses pieds.

— Tu pourrais trouver une autre manière de me tirer du lit ! cria-t-elle.

— Joyeux Noël ! s'exclama-t-il. Jouez hautbois, résonnez musettes !

— Il est encore bourré, laissa tomber Vanya, affectant un air dégoûté.

— Écoute, espèce de vieille toupie, je ne suis pas

saoul... Et à propos, merci pour la chemise... Elle est chouette, même si ça n'est pas ma taille.

Alors qu'elles trottinaient vers la salle de bains, il se secoua, alluma une bougie, et se mit à inspecter le matelas. Quelle nuit ! Les gardénias et la Chartreuse, Marcel Proust et les relents de l'ivresse... Et Dredge qui était passé leur souhaiter un « Joyeux Noël », et qui était resté jusqu'à quatre heures du matin à discuter de poux et de parasites microscopiques dans les nappes de pétrole. Se détournant du matelas, il passa à la planche à tripes : des mégots, des bouteilles vides, des pièces d'échecs mutilées, des sandwichs, des gardénias, *Sodome et Gomorrhe*, du gui, des caricatures, œuvres de la mère de Bruga, *L'Oiseau de feu* en lambeaux. Dans le fauteuil s'amoncelaient les cadeaux que Hildred avait reçus de ses admirateurs : des bas de soie, des soutiens-gorge, du parfum, des foulards, des cigarettes, des livres, des bonbons, des bouteilles d'alcool (toutes vides), des nécessaires à manucure, des pots de *cold-cream*, des culottes noires... De quoi remplir quelques pages du catalogue de chez Sears et Roebuck. Il tria quelques objets, dans l'intention de les offrir à sa famille. Sa mère admirait toujours les bas de Hildred ; peu importait que la taille soit un peu grande pour elle — ils coûtaient cher, c'était là l'essentiel. Pour son père, il mit de côté une cartouche de Camel, et pour sa sœur un nécessaire à ongles dont elle ne se servirait probablement jamais, mais qu'elle accepterait néanmoins avec gratitude. Avec ces babioles prélevées sur le butin, il s'assurait une débauche de remerciements de la part de ces braves gens. Sa mère ne manquerait pas de remarquer à mi-voix qu'ils avaient fait des folies.

Midi sonnait quand ils descendirent tous trois le perron, les bras chargés de paquets. Hildred était vêtue de manière un peu plus conventionnelle qu'à l'accou-

173

tumée, mais Vanya arborait son accoutrement habituel — les genoux à l'air, la chemise noire, les cheveux au vent, etc. Comme ils se mettaient en route, toutes voiles dehors, les cloches commencèrent à carillonner. Un peu plus bas, devant un vilain temple luthérien, badigeonné d'une nouvelle couche de peinture moutarde, toute fraîche des vacances, un petit groupe de fidèles se séparait, pressés de s'attabler pour les agapes luthériennes. Leurs yeux lancèrent des étincelles quand ils avisèrent, au coin de la rue, ce trio incongru engagé dans une querelle animée.

Une dispute, le matin de Noël ? Eh oui. Tout cela parce que Hildred répugnait à laisser Vanya s'en aller seule.

— Mais si elle change de vêtements ? disait-elle.

— C'est trop tard. Nous allons déjà devoir prendre un taxi.

— Alors, je ne viens pas, déclara Hildred. Sur quoi, elle laissa tomber ses paquets à terre.

— Crapule ! s'écria Tony Bring. Tu ne vas pas me laisser tomber comme ça ! Qu'est-ce que je vais leur raconter ?

Vanya les supplia d'attendre, quelques minutes à peine ; elle allait rentrer et se changer en vitesse.

Presque une demi-heure s'était écoulée quand elles réapparurent toutes deux.

— Eh bien, comment me trouves-tu ? demanda Vanya.

— Atroce ! Tout bonnement atroce ! Où diable as-tu trouvé ce chapeau-là ?

— Eh bien, tu voulais que j'aie l'air convenable, non ?

Ils hélèrent un taxi. Une rue avant d'arriver à destination, ils dirent au chauffeur de s'arrêter et descendirent.

— Écoute, Hildred, essaie de lui donner visage humain, tu veux bien ? supplia-t-il.

Hildred émit un petit rire. Ils se tenaient devant un établissement funéraire.

— Je ne plaisante pas, Hildred. Bon dieu, elle ressemble à Bert Savoy.

Devant la vitrine où était exposé un magnifique cercueil doublé de satin, ils s'employèrent à transformer Vanya. Peine perdue.

— Donne-moi ce chapeau, dit-il, et comme Vanya obtempérait d'un air soumis, il l'écrabouilla et le jeta dans le caniveau. Voilà ! fit-il. Viens, maintenant... et prends l'air triste.

Sa mère vint ouvrir la porte. Le sourire qu'elle tenait tout prêt s'effaça à l'instant même où elle aperçut Vanya. Le vieux monsieur se montra cordial, bien que le regard dont il gratifia son fils signifiât clairement : « Était-il bien nécessaire de nous l'amener aujourd'hui ? » Hildred, avec sa frénésie habituelle, se mit sur-le-champ à leur expliquer que son amie Vanya était un génie, que ses parents étaient richissimes, qu'ils s'entendaient à merveille, et autres balivernes qui firent frissonner Tony Bring intérieurement. Il tentait désespérément de croiser son regard, mais elle continuait de babiller comme un nouveau-né, totalement dédaigneuse, ou inconsciente, de l'impression qu'elle pouvait donner. Il y eut quelques instants de tension lorsque Babette, la sœur de Tony Bring, fit son apparition. Bien qu'elle n'eût guère que quelques années de moins que lui, elle avait gardé l'esprit d'une enfant de huit ans. D'autre part, elle souffrait d'une étrange maladie nerveuse : ses membres s'agitaient de manière incontrôlable, et elle secouait soudain la tête en tous sens tandis qu'elle vous parlait, avant de la laisser retomber sur

175

sa poitrine. Elle jacassait interminablement, passant sans cesse d'un sujet à l'autre, sans la moindre logique, et continuait ainsi jusqu'à ce qu'on lui dise d'arrêter. A peine avait-elle été présentée à Vanya, par exemple, qu'elle se mit à la saouler de radotages à propos de l'église, expliquant, avec une facilité et une vélocité étonnantes, de quelle façon merveilleuse le chœur avait chanté ce matin, et ce que le pasteur avait dit à propos de l'esprit de Noël — que nous devions tous nous aimer, non seulement en ce jour, mais chaque jour de l'année. Se tournant soudain vers son frère, et fixant sur lui un regard mi-imbécile, mi-réprobateur, elle s'écria :

— Tu aurais dû être là ce matin, Tony. Je n'ai pas arrêté de penser à toi. A quelle heure t'es-tu couché, hier soir ? As-tu acheté un arbre ? C'est un homme adorable, notre pasteur...

— Ça suffit ! dit le vieux monsieur, et Babette cessa instantanément, bien que sa tête continuât de ballotter en tous sens, avant de s'affaisser brusquement sur sa poitrine.

Pendant le repas, le temps s'assombrit, et ils durent allumer le sapin. Une lueur surnaturelle inonda la table d'une piété factice. Vanya et Hildred apprécièrent énormément le repas, émettant pourtant le regret qu'il n'y eût pas un bon vin du Rhin pour faire glisser le tout. Après le troisième plat, Hildred brisa la glace en allumant une cigarette ; Vanya, à la stupéfaction générale, sortit un paquet de Bull Durham pour s'en rouler une. Babette ne put s'empêcher de remarquer que les *dames* ne fumaient jamais — qu'*elle*, en tout cas, ne fumait jamais —, ce qui fit éclater tout le monde de rire, y compris sa mère. Cette manifestation de franche gaieté donna lieu à une discussion animée. On éplucha les derniers mariages et naissances dans la famille, on

176

raconta par le menu les enterrements très réussis auxquels on avait assisté, on évoqua le problème de la prohibition, notant au passage le prix de la dinde, on parla des lourdes responsabilités qui pesaient sur les épaules du Président, et des discours entendus à la radio ; on fit remarquer que le prince de Galles était un piètre orateur, tout comme le général Pershing. De temps à autre, Babette glissait quelques mots pour vanter la vie de la paroisse. Le vieux monsieur discourait sur le mauvais état des affaires dans tout le pays. Finalement, ils voulurent tous savoir quel genre de peinture faisait Vanya, et si elle peignait des paysages, parce que maman n'aimait pas les vaches et les moutons accrochés dans le salon, au premier. On leur expliqua que le vieux monsieur les avait achetés à un barman, un jour qu'il était gris, et qu'il les avait payés un bon prix. Maman avait dans l'idée que Vanya devait peindre des choses plus agréables à l'œil.

Hildred commençait doucement à ricaner.

— Vois-tu, maman, intervint Tony Bring, essayant de cacher sa gêne, j'ai bien peur que tu n'apprécies pas tellement les toiles de Vanya.

— Ah bon, elles ne sont pas jolies ?

— Oh, si, bien sûr, elles sont jolies... elles sont superbes, mais ça n'est pas le genre de peinture qui te plairait.

Le vieux monsieur prit la parole. Il comprenait très bien ce que Tony voulait dire. Sans doute Vanya faisait-elle de la peinture *moderne*. Il se tourna vers son épouse :

— Tu sais, ces trucs sans queue ni tête que nous avons vus chez Loeser, l'an dernier... C'est sans doute ce genre de chose qu'elle fait. N'est-ce pas, Tony ?

Celui-ci regarda Vanya qui, très gracieusement, choisit d'acquiescer d'un simple hochement de tête. Le vieux monsieur était très satisfait de sa finesse d'appréciation.

177

— Ni rime, ni raison... c'est bien cela ? ajouta-t-il.

— C'est bien cela, père, gazouilla Hildred. Ils sont tous un petit peu fêlés. Mon amie Vanya est fêlée, elle aussi... Elle ne put continuer, car l'idée lui paraissait soudain si drôle qu'elle n'arrivait plus à se contenir. Tony Bring la maudissait tout bas. Quelle bonne plaisanterie, si drôle qu'ils sentaient tous la gêne les envahir. Il fut grandement soulagé quand Vanya qui, par quelque miracle, faisait preuve d'une discrétion stupéfiante, relança la conversation sur un autre sujet. La vie au Far West ! Ah, quelle merveille ! Galoper jusqu'au lac chaque matin, à l'aube, plonger dans l'eau glacée, préparer son repas en plein air, sur un feu de bois... (Pas un mot sur le culte de la nudité, Dieu soit loué !) Ravie de l'effet produit, Vanya se mit à raconter n'importe quoi, relatant ses pérégrinations au Mexique et en Amérique centrale, leur décrivant en termes quelque peu déconcertants l'art et les coutumes de ces pays lointains.

— Mais vous n'aviez pas peur de voyager comme ça, toute seule ? C'était la mère de Tony Bring qui posait cette question.

Son père intervint immédiatement.

— Quoi ? s'écria-t-il. *Elle*, avoir peur ? Mais c'est un véritable bonhomme, tu ne le vois pas ? Et il lança un large sourire indulgent à l'adresse de Vanya, comme s'il venait de la gratifier d'une suprême marque d'estime. Hildred était de nouveau sur le point de craquer, mais Vanya l'en empêcha, et Tony Bring prit la parole à son tour.

— Oui, maman, dit-il, c'était une vie merveilleuse qu'elle menait là-bas, une vie saine. Regarde comme elle est superbement bâtie.

Sur quoi, Vanya fut soumise à un examen général, exactement comme un tableau que personne n'aurait remarqué jusqu'à ce qu'un individu plus éveillé que les autres attirât l'attention sur ses qualités.

C'est alors que la mère de Tony Bring posa une question embarrassante. Elle voulait savoir comment ils gagnaient leur vie, et plus particulièrement si Tony faisait quelque chose. Hildred redevint immédiatement sérieuse. Tony avait son livre à terminer, après quoi — eh bien, après quoi elle sentait bien que c'en serait fini de leurs difficultés.

— Je crois que vous êtes tous un peu fêlés, déclara la mère de Tony Bring. Cela fait trois ans que j'entends parler de cette histoire de livre. Comment pouvez-vous savoir qu'il lui rapportera le moindre centime ? Il y a déjà tant d'écrivains, et ils meurent presque tous de faim... Je crois qu'il devrait chercher un emploi. C'est une honte, de devoir sans cesse trimer pour lui. Enfin, vous serez une vieille femme avant qu'on l'ait reconnu...

— Ça suffit comme ça, coupa le vieux monsieur. Maman voit toujours la vie en noir. Parlons de choses plus gaies... Comment avez-vous passé le réveillon ? Êtes-vous allées au théâtre ?

Vanya et Hildred piquèrent du nez. C'était à Tony Bring de raconter quelle merveilleuse soirée ils avaient passée.

Babette voulut savoir s'ils avaient acheté un sapin, et combien ils l'avaient payé.

— Nous avons payé le nôtre un dollar vingt-cinq, dit-elle. Elle leur indiqua aussi où ils pouvaient se procurer des décorations pour l'année prochaine — et très bon marché.

Hildred improvisa toute une histoire autour de cet arbre qu'ils n'avaient pas acheté. Toute la famille l'écouta d'un air captivé. Cette histoire d'arbre de Noël était infiniment plus intéressante que les fables de

Vanya à propos du Mexique et de l'Amérique centrale, où les idoles se dissimulaient au plus profond des forêts, et où les *chicleros* se frayaient un chemin à la machette, recueillant la gomme végétale pour la Wrigley Chewing-Gum Corporation.

En fin d'après-midi, ils quittèrent la table et, tandis que Babette aidait sa mère à laver la vaisselle, Tony Bring s'installa dans un fauteuil à bascule pour écouter le vieux monsieur. Celui-ci était songeur, à présent. Recroquevillé au fond de son fauteuil réglable, le menton appuyé sur une main, il réfléchissait tout haut à la crise qui menaçait le monde des affaires. Il avait perdu cette vitalité qu'appréciaient tant autrefois ses compagnons de bar. Cela faisait maintenant quinze ans qu'il avait renoncé à boire ; chaque fois qu'il évoquait ce moment déterminant de sa vie, c'était avec un accent de résignation douloureuse, comme s'il avait fait là une énorme bêtise, car depuis ce jour mémorable les choses n'avaient cessé d'aller de mal en pis. Ses clients mouraient les uns après les autres, et personne ne venait les remplacer. Le menu fretin, les gens comme lui, étaient peu à peu éliminés par les gros bonnets qui mettaient sur pied des organisations sans cesse plus importantes. Tout le monde paraissait dans la dèche ; certains clients ne lui avaient rien commandé depuis cinq ans. Tout irait beaucoup mieux, disait-il, si les gens prenaient l'habitude de dépenser leur argent, au lieu d'épargner. C'était encore un de ces *mauvais* Noëls.

Tout en l'écoutant, il apparut à Tony Bring que le vieil homme sombrait dans la sénilité. L'éclat, la vitalité d'autrefois, avaient disparu ; il ne restait plus de lui qu'une coquille vide, résonnant d'un murmure plaintif, sépulcral. Dompté, passif, le vieil homme demeurait renversé dans son fauteuil, dérouté, paralysé devant la marche impitoyable des événements. Il se lamentait sur le bon vieux temps perdu, sur la disparition d'une génération dont il comprenait et respectait les usages et les vertus. Il s'était tourné un petit moment vers la religion, mais l'Église, avec ses vaines promesses et ses visages lugubres, s'était révélée moins réconfortante encore que le parti républicain.

Au milieu de ces réflexions moroses, Hildred et Vanya s'étaient endormies sur le canapé. Engourdies par le repas qu'elles avaient dévoré avec gloutonnerie, elles s'étaient lovées comme deux chattes et avaient sombré dans un profond sommeil. Tony Bring s'excusa pour elles, disant qu'elles avaient travaillé très dur, ces derniers temps.

Au bout d'un moment, sa mère réapparut. Elle approcha un fauteuil à bascule et, croisant paisiblement les mains sur son ventre, se prépara à goûter une bonne petite sieste. Mais, avant de s'endormir, elle ne put s'empêcher d'émettre quelques remarques.

— Tu ne mènes pas une vie convenable, déclara-t-elle. C'est injuste, de laisser Hildred travailler comme cela. Tu devrais te prendre en main, à présent.

Une fois de plus, il dut l'écouter lui expliquer à quel point il était vain d'attendre quoi que ce fût de l'écriture. Elle appelait cela ses *griffonnages*.

— Tu te débrouillais si bien, autrefois, continuait-elle... A présent, tu mènes une vie de traîne-savates, tu passes d'une chose à l'autre, tu n'as pas d'argent, ni rien... rien. Un jour, tu le regretteras. Et quand nous ne serons plus là, qu'est-ce qui va arriver à Babette ? Tu ne penses donc jamais à elle ? Tu ne penses donc jamais à l'avenir ?

— Bien sûr que si, maman, répondit Tony Bring. Mais...

— *Mais !* Nous y voilà... il y a toujours un *mais* !

— Mais maman, écoute-moi...

Elle leva la main d'un air las. Il était inutile de lui raconter des bobards. Il pouvait bien s'en raconter à lui-même si cela lui faisait plaisir, mais elle était trop âgée pour se laisser prendre à ces sottises. Babette écoutait sa mère avec de grands yeux graves qui le mettaient au supplice. Pauvre Babette, se dit-il, que vais-je bien pouvoir faire d'elle ?

Cependant son père s'était assoupi. Sa tête chauve s'était affaissée mollement sur ses maigres vertèbres, sa bouche s'était ouverte, et il demeurait là, mâchoire pendante, avec cette rigidité qui évoque la mort. Une frange de petits poils follets se dressait au-dessus de ses grandes oreilles. Une momie, se dit Tony Bring. Exactement comme une momie, avec de vrais cheveux, et la peau tirée, bien tendue sur les os.

On sonna à la porte. C'était un voisin, qui passait pour admirer leur magnifique sapin. Au fil d'un bavardage parfaitement incohérent, il revenait sans cesse sur Caïn et Abel, mais personne ne semblait manifester le moindre intérêt pour le sujet. On réorientait délibérément la conversation sur l'arbre de Noël, on lui mettait en main les décorations étincelantes. Il resta quelques minutes à peine puis, c'est l'impression qu'eut Tony Bring, on le mit résolument dehors. Dans l'entrée, tandis qu'on le poussait vers la porte, il s'arrêta une minute pour saluer de nouveau Tony Bring. Il lui souhaita un très joyeux Noël puis, d'un air détaché, comme s'il se renseignait sur le chemin du métro, il lui demanda s'il avait la moindre idée de l'endroit où se trouvait le pays des songes.

— Mon fils ne lit pas la Bible, intervint la mère de Tony Bring et, le gratifiant d'une vigoureuse poignée de main, elle ouvrit la porte. Lorsqu'il fut parti, elle expliqua que le pauvre homme avait récemment perdu sa femme et son enfant.

— Il est très croyant, ajouta Babette.

Que ce fût l'effet de la sieste, ou l'idée réconfortante d'avoir, quoi qu'il en soit, échappé lui-même à un destin aussi affligeant, le vieil homme se réveilla soudain, manifestant un peu de sa verve d'autrefois. Exhibant un manuel Berlitz, du niveau débutants, il annonça à son fils qu'il étudiait le français. C'était une langue très utile à connaître, selon ses propres termes. En français, il pouvait dire « Enchanté », « Comment allez-vous ? », ou « Conduisez-moi gare Saint-Lazare, je suis pressé ». C'étaient là de petites expressions qu'il était fort pratique d'avoir dans sa manche, si par hasard on allait en France. Ce qui le déconcertait, c'étaient les mots comme *fut*. Il ne savait jamais s'il devait le prononcer *foot* ou bien *fee*.

— A ta place, je ne me tourmenterais pas pour cela, papa, dit Tony Bring. De toute façon, tu n'iras probablement jamais en France.

Il fallut réveiller Hildred et Vanya pour le dîner. Elles se comportèrent exactement comme si elles étaient à la maison, grognant, se frottant les yeux d'un air ensommeillé, bâillant, réclamant immédiatement une cigarette à grands cris puis, comme deux gamines, commencèrent à se chatouiller. Finalement, elles se mirent en tête de lutter, ce que le vieux monsieur trouva assez amusant. « Un vrai bonhomme, n'est-ce pas ? » répétat-il. A cet instant, toutes deux roulèrent sur le sol, la jupe relevée jusqu'au cou, les seins jaillissant hors du corsage. Au même moment, un claquement sonore se fit entendre, et Babette arriva en courant pour voir ce qui se passait. Vanya et Hildred étaient assises par terre, en train de remettre de l'ordre dans leur

183

tenue, quand la mère de Tony Bring fit son apparition.

— Maman, elles ont cassé le canapé ! s'écria Babette.

Tous les regards convergèrent vers le canapé. Il était toujours là, impassible, solennel, comme si quelqu'un venait d'y rendre le dernier soupir.

— Eh bien, c'est comme cela que vous prenez soin des choses, dit la mère de Tony Bring. Un canapé qui nous a fait vingt-cinq ans...

Tony Bring gardait les yeux rivés au sol. Il attendit un moment, prêt à entendre la suite. Mais il n'y eut rien de plus. Sa mère s'était détournée et repartait déjà vers la cuisine. Il lui sembla que ses épaules étaient un peu plus voûtées.

Mais Hildred se mit promptement debout et la rejoignit.

— Je suis affreusement désolée, dit-elle. Croyez-moi, je vous en prie. Faites-le réparer... demain... je vous rembourserai.

Sa proposition fut accueillie froidement.

— Vous avez bien assez de frais comme cela, dit la mère de Tony Bring d'un ton résigné. Non, ne vous en faites pas. De toute façon, il était temps de le changer.

— Mais maman, vous l'aimez, ce canapé... Je le sais bien. Je ne pouvais absolument pas penser qu'il arriverait une chose pareille.

— Non, bien sûr que non. Voyez-vous, nous ne sommes pas aussi brutaux que vous, les jeunes. Nous n'avons plus votre énergie, à présent...

Tony Bring les avait rejointes.

— Écoute, maman, ne le jette pas. Fais ce que dit Hildred. C'est bien mieux que d'en acheter un neuf.

Et, tout en se confondant en excuses, il saisit le bras

de Hildred et le serra cruellement. Bientôt, ils étaient tous installés pour le dîner ; on alluma de nouveau l'arbre de Noël, et de nouveau la table fut inondée d'une lueur étrange, d'une piété artificielle.

Ainsi la journée prit fin.

Comme ils quittaient la maison, Babette leur cria qu'elle passerait bientôt pour voir les peintures de Vanya. Se retournant pour un dernier au revoir, Tony Bring vit ses parents debout derrière la barrière, les yeux levés vers le ciel. C'est de la pluie pour demain, commenta-t-il en lui-même.

Après l'établissement funéraire, Hildred siffla un taxi. Ils n'échangèrent pas un mot avant d'être presque arrivés à la maison. Alors, Hildred annonça soudain son intention d'aller dans le Village, pour acheter du vin.

— Je t'accompagne, dit-il.

Non, elle n'y tenait pas. Elle rentrerait tout de suite. Ils étaient encore en train de se disputer quand le taxi s'arrêta devant leur porte.

— Tu me promets d'être de retour dans une heure ?

— Dans moins que cela, dit-elle.

L'aube se levait presque lorsqu'elles réapparurent, titubant sur le trottoir et chantant « En avant, Soldats du Christ ». Une fois entrées, elles s'effondrèrent. Vanya gisait sur le sol, une bouteille vide dans une main, un gâteau à la crème au chocolat dans l'autre. Il fallut allonger Hildred et lui ôter ses vêtements, comme à un cadavre. Dans son baragoin d'ivrogne, elle marmonnait des accusations ordurières envers un sale individu qui aurait empoisonné leurs consommations. « Joyeux Noël ! » s'écria-t-elle. Puis elle se mit à miauler comme un chat, après quoi, prise de remords, elle murmura :

185

— Je suis désolée d'avoir cassé le canapé. Je suis sincèrement désolée. Tu ne m'aimes plus, n'est-ce pas ? Je ne suis pas ivre, mon chéri, je suis malade... C'est cet immonde salaud qui nous a droguées.

Il laissa Vanya à terre, l'enjambant comme une chienne galeuse. Elles réclamèrent à grands cris des serviettes mouillées et de la glace. Hildred voulait de l'élixir parégorique. Vanya voulait des beignets et du café.

— Et vous ne voulez pas aussi quelques bons rognons de porc ? railla-t-il.

— Je t'en prie, allume le feu, gémit doucement Hildred, d'une voix mourante. Je suis malade... Je ne suis pas ivre, je te dis...

— *Allez gare Saint-Lazare... Je suis très pressé.*

— Je suis gelée... Je t'en prie, allume le feu !

— Ma pauvre enfant, vous voulez que je vous prépare une bonne petite flambée ?

— Je t'en prie, Tony, je t'en prie...

— Je vais te réchauffer, dit-il. Attends une minute.

Sur quoi il se dirigea vers son classeur, en vida le contenu dans le foyer, et craqua une allumette. Les flammes jaillirent, et une étrange lueur envahit la pièce ; les murs frémirent, les silhouettes se mirent à danser.

— Ça va mieux ? s'enquit-il et, passant le pied au travers du classeur, il le fit voler en éclats. Tu ne pensais pas que j'allais te laisser mourir de froid, tout de même ?

Saisissant les chaises une à une, il se mit à les briser de même.

— C'est ça ! s'écria Hildred. Brûle-les... Brûle tout... Demain, nous achèterons de nouveaux meubles.

Il y eut un crépitement, et les flammes se précipitèrent dans le conduit de cheminée.

— C'est merveilleux.... *merveilleux*, gémit Hildred. Tu es si bon, Tony. Je te souhaite un très, très joyeux Noël.

— Joyeux Noël ! glapit Vanya. C'est *divin*, tu ne trouves pas ?

— Pauvres petites bonnes femmes, dit-il. Alors, comme ça, on a essayé de vous empoisonner ? Quelle drôle d'idée !

Il s'assit sur la planche à tripes, contemplant les flammes qui anéantissaient d'un coup de langue dix ans de griffonnage.

Où était le pays des songes ? Le pays des songes, il était dans ta cafetière, et Abel et Caïn étaient deux m'as-tu-vu avec des cravates rouges. *Comment allez-vous ? Très bien, monsieur, et vous-même ?* Vous vous rendez compte... Essayer d'empoisonner deux petites jeunes femmes, un jour de Noël ! Où diable avait-elle pêché une pareille sottise ? Quel beau cercueil, en tout cas — tout doublé de satin. Un vrai bonhomme... si bien bâtie. Et au plus profond des forêts se trouvaient des idoles monstrueuses aux yeux brillants de pierres précieuses... une jungle que parcouraient les *chicleros*, à la recherche du chewing-gum. Des machines à sous, pour des dents saines et blanches. Conduisez-moi gare Saint-Lazare, je suis pressé...

# 3

Le Nouvel An ! L'Amérique essaie de se dresser sur ses pattes de derrière. Tout le monde est beurré, bourré, rétamé. Dredge est au bord de la syncope, Hildred fait une crise de delirium. Une fameuse noce, au cours de laquelle Vanya accouche d'un petit poème enjoué sur le crachat virginal des caniveaux, les sept cathédrales qui donnent du lait chaud, et les rats crevés qui flottent sur la Seine ; Bob Ramsay passe, avec son ami Homer Reed et Amy, la maîtresse de ce dernier, tous trois suivis d'une petite grue insortable, qui tient absolument à laisser sa carte à tout le monde. Séances de lutte entre Amy et Vanya, Vanya et Hildred, Hildred et Amy. L'arbitre se met à quatre pattes pour vérifier qu'on ne donne pas de coup bas, et voir quel genre de sous-vêtements on porte — si sous-vêtements il y a. Amy se bat comme une tigresse, les vêtements en lambeaux, le visage bouffi, ensanglanté. Puis Emil Sluter débarque en compagnie d'un Juif nommé Buncheck. Anecdote piquante à propos d'une femme appelée Iliad, qui avait le béguin pour sa propre mère. Drôle d'histoire — jalousie, intrigue et inceste. Sluter, ce salopard aux gants beurre frais, n'en perd pas une miette :

— Et de qui la mère était-elle jalouse, si ça n'est pas indiscret ?

— De moi, pardi ! hurle Hildred, chauffée à blanc.

— De vous ? Non ! Eh bien, que le diable m'emporte... Avez-vous entendu ça, Tony ?

Tony Bring n'a que trop bien entendu. Il pense aux réflexions poisseuses qu'il va devoir subir, la prochaine fois qu'il rencontrera Sluter : « Mince, mon vieux, c'est inimaginable, avec quelle brutalité ces choses-là vous tombent dessus et vous fichent par terre ; et c'est d'autant plus sournois quand on ne s'y attend absolument pas. N'est-ce pas ainsi que vous avez ressenti les choses ? » Ça, c'est le jargon de Sluter : truffé d'amendements, de restrictions, de remarques préliminaires, d'excuses, d'insinuations, de portes dérobées, de faux-fuyants...

Cependant, Hildred est en train de raconter sa vie, comme on vide un seau hygiénique. Et Buncheck, la niaiserie peinte sur son visage boutonneux, la contemple, bouche bée, les yeux en boules de loto. Hildred, l'épouse, assise jambes écartées, les bas roulés aux chevilles, les cuisses à l'air, les tibias contusionnés, égratignés, vantant à qui veut l'entendre sa solide colonne vertébrale, et cette petite fossette juste au-dessus du coccyx, qui fait s'extasier les hommes quand ils dansent avec elle. Cela ne suffit pas ; elle enjolive, elle brode, supplie Homer Reed de poser sa main, là — car en tant qu'artiste il sait apprécier ces subtilités accidentelles de l'anatomie.

Puis Buncheck prend le relais, pianissimo tout d'abord, avec un tendre menuet tiré du *Kamasutra*, pour continuer coup sur coup par les grandes œuvres symphoniques de Sketel, Jung et Pavlov. Ce n'est pas un cerveau qu'il possède, c'est une fosse d'aisances. C'est trop, beaucoup trop, même pour l'estomac solide de Hildred. Sluter, avec sa correction habituelle, s'excuse et sort pour aller s'enfoncer un doigt dans la gorge.

Pour finir, Amy, aiguillonnée par son époux, fait glisser sa culotte et leur offre une langoureuse danse immobile, faisant jouer ses muscles. Ça n'est pas terminé, cependant, car Buncheck et Ramsay enchaînent immédiatement sur un concours de mots rimés : joie-oie, brique-pique, vache-tache, messe-fesse, cou-mou, tard-lard. Sluter se joint à eux, puis Hildred ; la pièce résonne de l'écho des mots unis et désunis : bâton-chaton, melon-ballon, gourou-kangourou, Lucette-sucette, poule-ampoule, pédibus-rasibus, levantine-térébenthine, saumure-lémure... Enfin, la station D.R.E. D. G.E. annonce la naissance de l'homoncule, tandis que saint Thomas d'Aquin répare les bardeaux de son toit pour empêcher les anges d'entrer. Suit un petit baratin sur le fonctionnement gastronomique des organismes unicellulaires, puis : « Les Alpes et les Andes ne sont que la cendre minéralisée d'un océan, et peut-être la terre entière n'est-elle que l'empreinte solidifiée des choses mortes. » Magnifique débordement de coprologie, arrosé de proverbes sexuels et de néologismes comme *mitosités* et *vaginités*. Sluter reste après les autres pour boire le coup de l'étrier, avide de réponses à quelques questions fondamentales, comme par exemple :

1. Comment la vie s'est-elle ainsi répandue sur la terre ?

2. Que signifie exactement le Mouvement symboliste ?

3. Ai-je raison de dire que la peinture de Gauguin était peut-être un peu trop décorative ?

L'aube est avancée, sonnez clairons, tarata-ta-ta...

Le Nouvel An ! De nouvelles résolutions, de nouvelles querelles, de nouveaux projets. Paris, encore. Et pour Vanya, un leitmotiv : la Suède. La Suède ! Et pourquoi la Suède ? Suède : pays du soleil de minuit, des fjords et des hors-d'œuvre époustouflants, pays de liberté pour le troisième sexe, la bananière étoilée des lesbiennes et des uraniens.

Un entracte, durant lequel Vanya et Hildred jouent avec l'idée de trouver un emploi plus à leur convenance. Caprices. Lubies. Hallucinations.

Pendant cet intermède, quelqu'un leur met en tête cette idée étrange d'aller voir Paul Jukes. Paul Jukes, le plus grand peintre vivant ! L'homme qui fait peu de cas de Cézanne, et moins encore de Matisse. Quant à Picasso, selon Paul Jukes, la seule chose que Picasso ait jamais maîtrisée, c'est l'art de dessiner des canards mécaniques. Qu'on ne parle pas de canards mécaniques ou de motifs de linoléum devant Paul Jukes. Gardez ces vieilleries pour vous ! Le plus grand peintre américain qui ait jamais existé est un adepte rigoureux du muscle et de la vie au grand air, qui exige que l'on peigne le sein droit aussi pieusement que le sein gauche, et que l'on pose des têtes sur les torses, et non des bottes de lilas ou des choux-fleurs. Si vous voulez représenter un homme, vous devez d'abord avoir des bras et des jambes... *Alors*, allez voir Paul Jukes. Peut-être Paul Jukes aura-t-il besoin d'un ou deux modèles. Lui qui peut s'attacher un pinceau au derrière et peindre une aurore boréale, peut-être consentira-t-il à vous donner un petit conseil — ou un billet pour la Suède. Il ne faut rien avoir de précis en tête. Allez voir Paul Jukes, c'est tout.

Il se trouva que le jour choisi pour cette rencontre était un de ces jours funestes. Le grand Paul Jukes, qui avait quitté l'hôpital depuis quelques jours à peine, s'apprêtait à porter plainte contre son médecin pour lui avoir perforé la vessie. Il était affaibli, d'humeur maussade. Il n'eut même pas la courtoisie de prier ses hôtes inconnus d'entrer.

Ils s'en retournèrent, déconfits. Le Grand Paul Jukes... bah ! Vanya cracha sur le trottoir pour exprimer son dégoût. Pfui ! pfui ! Quant à Hildred, elle ne pouvait se contenter de cracher par terre. Il lui fallait faire plus. Elle le traita de « peau d'hareng ».

Le lendemain ou presque, une nouvelle idée germa. Elle émanait de Hildred, cette fois. « On demande mannequins pour bonneterie et lingerie... travail facile... seulement quelques heures par jour. » Pourquoi ne pas faire un peu d'argent sans se donner trop de mal ? Pourquoi pas ?

Elles se levèrent de bon matin. Elles avaient même sollicité l'aide de Tony Bring. Armé d'une grosse brosse à long manche recourbé, il étrilla le dos de Vanya. Ils défirent les nœuds de sa chevelure, lavèrent sa culotte, et repassèrent son tailleur de cheviotte bleue. Hildred ajouta la touche finale en vaporisant de l'eau de toilette sur son chemisier. Paré à l'abordage. Vanya était gaie comme un moineau sautillant sur un fil télégraphique. Elle se dandinait légèrement, à la Margie Pennetti. Ravissante. Qu'avait-elle donc dissimulé, durant tout ce temps ? On croyait rêver...

Mais quand elles réapparurent, Hildred avait l'air sombre. Elles avaient été maltraitées par un sale petit youpin — Vanya particulièrement. Il les avait examinées comme si elles étaient des juments de course. Et il n'y avait pas de paravent. Elles avaient été obligées de se déshabiller sous le regard de trois petits youpins. L'un tenait le mètre-ruban, l'autre notait les mesures sur un bloc, et le troisième, apparemment, se contentait de rester là, comme une bouée de sauvetage, pour vérifier que tout se passait bien. Il n'avait cessé de tirer sur un gros havane. Le summum avait été atteint quand on s'était aperçu qu'il fallait re-mesurer Vanya pour la troisième fois. Tout cela était dû à une erreur de celui qui tenait le crayon et le bloc. Sans doute, il n'avait pas la tête à ce qu'il faisait. Quand on pense qu'il lui suffisait de noter correctement les chiffres… et en vérifiant les mesures, on s'était aperçu que tout était faux. Pour aggraver les choses, Vanya semblait prendre tout cela comme une vaste plaisanterie. Même pendant qu'ils folâtraient autour de son sexe, elle avait gardé un *sang-froid* révoltant.

Elle n'avait même pas pris la peine de se couvrir les seins avec les mains.

— Pas le moindre sens moral, conclut Hildred d'une voix irritée.

— Mais qu'est-ce que j'ai fait ? s'écria Vanya. Ne t'es-tu pas déshabillée, toi aussi ? Crois-tu que tu avais l'air plus respectable parce que tu as gardé ton soutien-gorge à la noix ?

— Ce n'est pas ça ! C'est la manière dont tu te tenais…

— Qu'est-ce que tu voulais que je fasse ? Que je prenne une pose de nu artistique ? Bon dieu, quelle cloche tu fais !

Tout alla très bien durant cet intermède, si ce n'est que Hildred avait des problèmes au Caravan. Ils menaçaient de la renvoyer si elle ne changeait pas d'attitude.

— Tu ferais mieux de veiller à ton emploi, lui fit remarquer Tony Bring. Sinon, ça va être la catastrophe, ici.

Vanya approuvait. Il fallait bien que quelqu'un montrât un certain sens des responsabilités.

Mais il existait une autre raison, une raison majeure, pour laquelle Hildred devait continuer à travailler. Vanya s'était remise à bricoler avec du plâtre et Dieu

194

sait quoi encore. Elle parlait de créer d'autres comtes Bruga, et des masques, des moulages. Il fallait de l'argent. Bien sûr, quand Hildred en aurait vendu quelques-uns, tout irait comme sur des roulettes. Et quelle meilleure galerie que le Caravan ? Lausberg lancerait probablement le mouvement ; il y avait aussi ce brave rustaud, ce gogo de Earl Biggers, sans parler de la mère d'Iliad, et de tous les garçons à mèches blondes qui raffolaient de tout ce qui était art.

Hildred n'était pas du genre à chipoter devant l'appât. Elle avala tout, hameçon, ver et plomb. Il y avait du génie dans cette idée-là ! Évidemment, puisque c'était un génie qui l'avait conçue. Un génie, et une Romanov.

A présent, elle rentrait directement du travail. Tout le monde était mis à contribution. Si quelqu'un passait, on lui mettait une scie ou un marteau entre les mains, ou bien on le chargeait de déchirer des feuilles de papier kraft en fines bandes. Le sol était un amalgame de plâtre de Paris, de sciure, de clous, de vernis, de colle, de chutes de velours et de satin, de perruques de poupées, de teintures mexicaines... Les coulisses d'un cabaret de troisième ordre.

Pour s'entraîner, ils effectuèrent des moulages les uns des autres. Hildred ne pouvait se contenter de la pose traditionnelle, neutre, mortuaire. Elle recherchait toujours le grotesque. Ainsi, au lieu de masques ressemblants, ils obtinrent des gargouilles, des satyres, des bacchantes, des maniaques. De temps à autre, un Job ou un Hamlet voyait le jour, parfois un profil de médaille romaine.

Tony Bring prenait tout cela avec un calme extraordinaire. Qu'elles filent leurs rêves d'opium. Laissons-les dire. On ne pouvait s'offrir un voyage à Paris avec trois sous en poche. Quant à devenir riches du jour au

195

lendemain — quelle blague ! Encore heureux si elles pouvaient assurer le loyer, quand arriverait le terme, et empêcher leurs estomacs de gargouiller. Hildred tenait des discours faramineux, évidemment, mais c'était sa façon d'être. Simple excitation thyroïdienne.

Vers trois, quatre heures du matin, généralement, Vanya se glissait dehors, vêtue de sa salopette, pour chaparder les bouteilles de lait et les sacs de petits pains que les livreurs déposaient aux portes. Les quelques heures qu'il restait pour dormir se passaient à se tourner et à se retourner, à se jeter des reproches au visage, à se réconcilier. Totalement épuisée, à bout de nerfs, sanglotant, larmoyant, le maudissant un instant pour mieux capituler l'instant suivant, Hildred finissait par s'endormir dans ses bras et demeurait ainsi, inerte comme une pierre. Parfois, elle s'éveillait, effrayée, et s'écriait « Oh, c'est toi ! ». Puis elle le suppliait d'arrêter, lui disant qu'il était cruel, qu'il la tuait.

— Mais de quoi rêvais-tu, à l'instant ?

— Mon dieu, je ne sais pas.... Ne me pose pas de questions pareilles. Je suis morte, je te dis.

Et tandis qu'il se battait pour reconstituer les rêves de Hildred, évoquant rapidement tous les mensonges, toutes les intrigues dont elle s'entourait, on entendait soudain Vanya fermer la porte de sa chambre. Son ombre passait et repassait devant la lourde porte aux vitres teintées. Qu'était-elle donc en train de fabriquer là-bas, cette diablesse à la longue crinière ? Quelle conspiration inédite fomentait-elle ? Il saisissait Hildred, l'étouffait contre lui, comme pour la protéger de quelque esprit malfaisant. Alors la même expression d'effroi renaissait sur son visage, et elle s'écriait :

— Oh, par pitié, laisse-moi tranquille, tu veux bien ?

— Mais écoute, Hildred, tu ne l'entends pas ?

— Tu vas finir par me rendre folle, si tu continues comme cela.

— Et moi ? Tu t'imagines que ça me donne bonne mine ?

— Pour l'amour de Dieu, qu'est-ce que tu veux de moi ?

— Tu sais bien ce que je veux... Je veux que tu te débarrasses d'elle.

— Si tu parles ainsi, je m'en vais... Je ne peux plus supporter ça, je te le jure.

— Mais écoute, Hildred, tu dis que tu m'aimes... Tu dis que tu ferais tout pour moi...

— Oui, mais pas ça !

— Et pourquoi pas ?

— Parce que je ne le ferais pas.

— Tu ne le ferais pas parce que tu es folle... Tu es une fieffée garce... Tu es dingue ? Je devrais te casser la...

— Tony... Tony ! Mon dieu, qu'est-ce que tu racontes ! (Elle s'effondre sur lui, l'étouffe de baisers. Elle lui caresse doucement le front, passe la main dans ses cheveux.) Tony, mon dieu, comment peux-tu dire des choses pareilles ? Tu es malade. Tu as besoin de repos. Tony, ne sais-tu pas que je t'aime ? Que ferais-je sans toi ? Tu veux donc me détruire ?

— Mais je ne suis pas fou... Je sais parfaitement ce que je dis. Et je suis parfaitement sérieux.

— Oh, Tony, ça n'est pas possible. Tu es malade. Tu es malade.

## 4

Tout le monde est sur les dents. Tout le monde est de mauvaise humeur, susceptible, à cran. Hypersensible. Comme un homme qui se plaint d'avoir froid aux pieds, après qu'on l'a amputé des jambes. Vanya, parangon du stoïcisme, déclare un jour à Tony Bring : « C'est bon pour toi, de souffrir comme ça... Cela améliorera ton écriture. »

Son écriture ! C'était là une manière plaisante de railler sa fainéantise. Son grand livre, dont le plan avait nécessité des feuilles et des feuilles de brouillon, son grand livre n'était plus. Il était parti en fumée dans le conduit de cheminée, avec les chaises et tout le reste. Bien sûr, il pouvait s'attaquer à un autre livre. Carlyle n'avait-il pas réécrit son *Histoire de la Révolution française*, après avoir perdu le manuscrit ? Mais il n'était pas Carlyle. Cependant, les fruits recommençaient à s'amonceler dans son panier. Des choses notées sur des bouts de papier, des petits calepins, une espèce de délire à la Sherwood Anderson, mais sans l'errance d'échec en échec, ni les boulots minables, ni les objets jetés par la fenêtre du deuxième étage.

Ou bien n'était-ce encore qu'une façon de tuer le temps ? On pouvait lire et relire Spengler et Proust, mais cela avait une fin. Joyce aussi était indigeste, à force. En France, il existait des types plus malins, qui se faisaient une petite piqûre de temps en temps. Tous les six mois, un nouveau livre — et un livre illustré. Une fécondité sans limites. Mais en Amérique, on ne savait pourquoi, vivre avec la cocaïne n'était guère propice à l'écriture. L'Amérique produisait des gangsters et des magnats de la bière. La littérature était laissée aux femmes. Tout était laissé aux femmes, sauf la féminité.

Que signifiaient ces griffonnages, de toute manière ? Et pourquoi fallait-il qu'il aille au Caravan pour écrire ses notes ? Cela mettait Vanya dans tous ses états. S'il s'était mis en tête d'écrire un livre sur elle, il avait intérêt à faire attention. On pouvait porter plainte contre quelqu'un pour... pour quoi, elle ne le savait pas exactement. Hildred aussi l'adjurait d'être prudent. Ma parole, elles en faisaient des manières... et il n'avait pas encore écrit une seule ligne. C'était un bon point, cela dit. Peut-être la vieille vache allait-elle vraiment paniquer, et se ficher en l'air. Elle était inquiète, ces derniers temps, au point d'avoir accroché un couteau et un marteau à sa porte. Cherchait-elle à lui donner des idées ?

Le drame n'amusait plus Hildred. Elle était éreintée. Elle jouait les hôtesses toute la journée, et la nuit, elle taillait des jambes de bois ou teignait des perruques. Quant au seigneur et maître, il ne savait même pas planter un clou droit. Tout ce qu'il faisait, c'était gribouiller des notes, ou concocter de nouveaux sujets de discorde afin de les rendre tous fous. Non, cela ne pouvait plus continuer ainsi — plus pour Hildred. Elle était épuisée, à bout. Trop épuisée même pour songer à faire l'amour. Quant au seigneur et maître, lui, bien sûr, était en pleine forme au moment de se coucher. Évidemment, puisqu'il n'avait rien fait de la journée, à part laver la vaisselle et donner un coup de balai.

Même cela, c'était trop pour lui. Cela l'empêchait de se concentrer sur ses griffonnages.

A présent, il se relevait parfois pour aller faire un tour, après qu'ils s'étaient couchés. Hildred ne remuait même pas quand il passait au-dessus d'elle. Elle était dans un autre monde.

Cela devenait une habitude. Il ne pouvait plus s'endormir sans avoir fait sa promenade. Une nuit — en fait, c'était presque l'aube —, il avait marché le long des quais, retournant la situation dans sa tête et, profondément absorbé dans ses pensées, il errait dans la ruelle étroite et encaissée qui longe les entrepôts. Il régnait un silence de mort, déchiré de temps à autre par la sirène d'un remorqueur. Soudain, un cri s'éleva, puis un bruit de pas confus, précipités. Il se retourna brusquement, et quelque chose vint le frapper de biais, au cou. L'instant suivant, il roulait sur lui-même dans le caniveau. Quand il se releva, il y avait un homme devant lui, debout contre le mur. « Viens là, espèce de... » Il se mit à courir. « Arrête, espèce de salaud, ou tu vas le payer ! » Il accéléra, courant aussi vite que ses jambes pouvaient le porter. Et soudain, pan ! Un coup de feu claqua, et il entendit quelque chose ricocher contre le mur avec un bruit mat. Il faillit s'effondrer. Pendant un instant, ce fut de nouveau un silence de mort. Puis il perçut l'écho familier d'une matraque de flic résonnant sur le pavé. Cela l'effraya plus encore. Et si ces pauvres imbéciles se mettaient en tête de... Cela leur ressemblait de tirer à vue, sur tout ce qui bougeait...

En rentrant à la maison, il s'assit sur une chaise, soudain haletant. Il était trempé, vidé de ses forces. Il ôta ses vêtements, lentement, péniblement, se glissa dans le lit et demeura ainsi, immobile et tremblant. Hildred gisait près de lui, comme une bûche. Il s'assoupit. Ses pieds dépassaient par la fenêtre. Un homme arriva, armé d'une barre de fer, et les amputa d'un coup. Puis il les enfouit dans la neige qui recouvrait la pelouse ; il se mit à pleuvoir, et la pluie chatouillait ses pieds gelés, mais il ne pouvait pas se pencher par la fenêtre pour les récupérer et les rentrer, car elle était munie de barreaux. Une voiture s'arrêta, d'où jaillirent trois hommes armés de fusils de chasse. Appuyant le canon de leur arme sur la clôture, ils criblèrent la fenêtre de balles. La fenêtre était pleine de trous, au travers desquels le soleil entrait à flots ; c'était un supplice que d'être ainsi allongé, avec le soleil dans les yeux, et les pieds enfouis dans la pelouse. Il marchait. Donc, il avait dû retrouver ses pieds. Il marchait de nouveau entre les hauts murs, derrière les entrepôts. Et ses pieds étaient solidement attachés à ses jambes, car il courait à présent. Il y avait une meute à ses trousses, armée de faux et de fusils. Comme il courait, les murs commencèrent de se refermer sur lui. Au bout de la rue, on ne voyait plus qu'un simple rai de lumière, comme un rideau écarté, et celui-ci devenait de plus en plus étroit. Il dut avancer de biais, se glisser entre les parois. Le mur lui raclait les tibias. Un coup de feu claqua, puis un autre, et un autre encore... Une fusillade en règle. Les balles s'écrasaient au-dessus de sa tête, ricochaient d'un mur à l'autre, tombant à ses pieds comme autant d'étoiles. Des cris s'élevèrent, « Arrêtez ! Arrêtez ! », mais il se glissait toujours plus loin, titubant, se baissant, s'éraflant les tibias et les coudes. Tout à coup, les murs s'ouvrirent, s'écartèrent comme des portes automatiques, et le ciel se déversa en un jaillissement de lumière extraordinaire, aveuglante. « Sauvé ! Sauvé ! » s'écria-t-il. Mais là, devant lui, barrant la route, se tenait un groupe de soldats en armure scintillante, brandissant vers lui de longues piques acérées.

Derrière lui, la foule chargeait, hurlant, l'injure à la bouche. Il entendait les faux racler les murs, il sentait presque leur souffle sur lui. La terreur s'empara de lui, une terreur si intense qu'il demeura paralysé, cloué sur place. Il tenta faiblement de lever les mains. « Regardez... regardez... ! murmura-t-il d'une voix blanche, je me rends. » Le grondement cessa. Pendant un instant régna un silence épais, écrasant. Puis, raides comme des automates, les hommes brandissant leurs immenses lances avancèrent sur lui. Arrivés presque à le toucher, ils s'arrêtèrent et, lentement, levèrent leurs bras gigantesques, recouverts de mailles de fer. « Je me rends ! je me rends ! » cria-t-il, éperdu, et comme il disait ces mots — que personne n'entendit, peut-être — une pluie aveuglante le transperça, tranchante, cruelle, une pluie de lances profondément enfoncées dans sa chair, vibrantes. « Mon dieu, ils m'ont tué ! » cria-t-il.

Quand il ouvrit les yeux, Hildred était penchée au-dessus de lui, une serviette à la main. Elle avait un visage doux et triste. Il y avait des larmes dans ses yeux. « Qu'est-ce qu'il y a ? » demanda-t-il, puis il vit que la serviette était tachée de sang.

Au petit déjeuner, il leur raconta ce qui était arrivé. Elles le regardaient d'un air incrédule.

— Mais enfin ! s'exclama-t-il, qu'est-ce qui a bien pu se passer, alors, d'après vous ?

C'était étrange, cette manière dont elles le regardaient. Hildred paraissait maussade, accablée. Vanya arborait son sourire à la Barrymore.

— Croyez-vous que j'ai essayé de me ficher en l'air ?

Vanya souriait toujours. « Oui, tu as essayé, semblait dire ce sourire, mais tu n'as pas eu le cran nécessaire. »

Il baissa les yeux sur son assiette. Il n'existait plus

de tragédie, il n'existait plus que des désillusions. Il n'était pas à la hauteur. Il n'était pas *romantique*, comme le disait toujours Vanya. Un homme qui ne se tuait pas alors qu'il avait toutes les raisons de se tuer, c'était un homme décevant. Un tel homme continuerait à vivre, quand bien même on lui enterrerait les pieds dans la pelouse. Il continuerait à vivre, parce qu'il n'avait pas assez de cervelle pour mourir. Mourir, cela ne demandait pas tant de courage que d'imagination. Il vivait une existence amputée. On lui avait enlevé l'imagination. Et, sans imagination, un homme pouvait vivre éternellement, même si ça n'était plus un homme, même s'il n'avait plus ni bras ni jambes — tant qu'il restait des morceaux que l'on pouvait recoudre ensemble, et jeter dans un fauteuil roulant.

# 5

A présent, la maison ressemble à un magasin de
jouets juste après un pillage. Des bras et des jambes
dans tous les coins, des monstres en veste de feutre
taupé, des Néron à perruque verte vautrés sur le sol
comme des marins ivres. Surproduction. Chômage.
Mains tendues, quémandant de quoi manger, de quoi
fumer, de quoi se chauffer. Hildred, abattue, fait peine
à voir. Elle va souvent au cinéma ; assise dans le noir,
elle réfléchit. Rien ne permet de deviner à quelle heure
ils viendront, ce soir. Mais à minuit, on est sûr de les
retrouver au restaurant de Sheridan Square, dans cette
même gargote où Willie Hyslop et sa bande se réunissaient autrefois, et où ils se réunissent toujours, bien
sûr, mais moins souvent, et avec moins d'enthousiasme
qu'au temps jadis. Ainsi, c'est là que vont Hildred et
Vanya, après minuit, pour extorquer un peu de menue
monnaie à l'un ou à l'autre. Toujours la même bande
— Toots et Ebba, Iliad et sa mère, les hommasses de
service, les maquereaux, les poètes, les peintres et leurs
poules... Amy passe aussi quelquefois, généralement
avec un œil au beurre noir, cadeau de Homer Reed,
ce fin connaisseur de l'anatomie, qui ne se contente pas
d'une cuite ordinaire, et s'emploie à la faire durer un
an chaque fois. Et puis il y a Jake... Toutes les deux
minutes, quelqu'un débarque et demande après Jake.
Quand Jake est là, tout va, comme on dit.

Qui est Jake ? Eh bien, Jake est un serrurier — mais cela ne nous apprend rien sur lui, sur son caractère, son cœur d'or, ses façons espiègles. « Un mécène » serait plus adéquat... un mécène avec un petit m. C'est aussi une espèce d'artiste, à sa manière, ce Jake le Mécène. C'est-à-dire qu'il possède un atelier, tout près, un atelier entièrement équipé, avec tout le matériel dont un peintre peut avoir besoin. Y compris la veste de velours. Quand il a besoin d'un modèle — il s'en trouve toujours à la pelle chez Lorber —, il ramasse l'addition, la règle, et le tour est joué. Outre son statut de peintre, il est aussi considéré comme une ressource occasionnelle et pratique. Comme il peint toujours le même sujet — peut-être le mot de « peinture » est-il un peu prétentieux pour les barbouillages qu'il commet —, Jake fait des économies en utilisant toujours la même toile. Vanya, qui n'a jamais eu le moindre scrupule à poser nue, est un de ses modèles que Jake connaît par cœur.

On peut aussi rencontrer d'autres philanthropes, là-bas. Par exemple, on y trouve un capitaine de marine et son second, et un vieux type tout ratatiné, avec une barbe glauque, qui autrefois poinçonnait les tickets dans le métro ; il y a un joueur d'échecs nommé Roberto, et un chiropracteur qui, entre autres choses, est passé maître dans l'art du jiu-jitsu. Enfin, il y a Leslie, le grand dadais boutonneux entiché de Vanya, à présent chauffeur de taxi. Tout cela constitue déjà un sérieux noyau de bienfaiteurs potentiels. Il s'agit simplement de les tenir à distance et de les jouer les uns contre les autres. Le poinçonneur, par exemple, hypothéquerait volontiers ses biens pour aider les petites dames, mais à la condition expresse que le beau Roberto aux cheveux aile-de-corbeau disparaisse du tableau. Un drôle d'individu, ce vénérable poinçonneur. Il écrit des lettres extrêmement touchantes, en caractères gothiques, qu'il signe « Ludwig ». Les lettres de ce pauvre Ludwig passent de table en table, parmi des rafales de rire, même en présence du pauvre diable, et peut-être même au moment précis où il fouille dans la poche de son jean pour en tirer un billet de cinq dollars.

De temps à autre, histoire de prouver qu'elles ont bel et bien un *domicile fixe*, elles invitent un de ces chevaliers errants dans leur « morgue ». S'il s'agit de remplir le placard à provisions, Jake est l'homme à capturer. A peine a-t-il ôté son chapeau que Vanya se rappelle soudain qu'il y a rien dans la maison. Suivent quelques instants de flottement, d'embarras feint. Alors, Jake demande, en toute innocence : « Pourquoi ne pas m'avoir dit que vous aviez faim, au restaurant ? » Oui, mais elles n'avaient pas faim, à ce moment-là. « Eh bien, nous n'avons qu'à sortir pour acheter à manger. Nous dînerons ici, d'accord ? » D'accord. Rien ne pourrait mieux leur convenir. Et, sans attendre, elles prennent Jake par la main et le traînent jusque chez le traiteur de luxe où l'on trouve caviar, foie gras, café fraîchement torréfié, pain complet, et autres douceurs... Ils rentrent avec assez de provisions pour une semaine. Jake en fait parfois la remarque à voix haute.

Quand il a le ventre plein, et après qu'on lui a gracieusement offert un des cigares qu'il a achetés, Hildred ne manque pas de se plaindre de l'atmosphère confinée. Elle se dirige vers la fenêtre, l'entrebâille, et relève le store à demi. Mais voici que, quelques instants plus tard, la sonnette retentit. Et là, debout devant la porte, il y a leur vieil ami Tony Bring. Mais que fais-tu à cette heure-ci ? Eh bien, il passait dans le coin et, en voyant la lumière, il a décidé de leur dire un petit bonsoir. Bien que, à dire vrai, ce bonsoir semble lui avoir demandé un gros effort — à voir les muscles de son visage, presque paralysés de froid. Donc, il ne faisait que passer. Sans parler des deux cent soixante-treize fois où il est déjà « passé », avant que le store ne se lève...

Mais lorsqu'on décide d'inviter le capitaine de marine et son second, Tony Bring manifeste une réticence inattendue. Ce n'est pas le froid qui le rebute, car il a assez de monnaie en poche pour aller prendre un verre chez Bickford. C'est de l'entêtement pur et simple. Ou bien peut-être n'a-t-il pas une confiance absolue en ces marins, avec leur brusquerie de braves matelots. En tout cas, il refuse d'être délogé... Il insiste pour s'enfermer dans la chambre de Vanya...

Et ainsi, tandis que se déroulaient les agapes, il demeurait allongé dans le noir, écoutant le gargouillement de l'eau, essayant de rassembler les bribes de conversation qui parvenaient à ses oreilles. Il lui semblait par moments que celle-ci s'interrompait totalement, mais il apprit par la suite que ces blancs étaient consacrés à la lecture silencieuse et assidue des poèmes de Vanya. Qu'il eût osé émettre des insinuations aussi viles appelait pourtant quelques commentaires acides. Hildred fit donc remarquer qu'un marin pouvait se comporter en gentleman, tout autant que n'importe quel type, et peut-être plus encore que certains.

Cependant, peu après cette visite, et selon les éternelles contradictions qui s'attachent toujours à l'humain, toutes deux rentrèrent à la maison folles de rage. Elles avaient passé la soirée au théâtre en compagnie de nos deux vaillants cols bleus.

— Que crois-tu que ces salauds ont essayé de faire ? explosa Hildred, à peine avait-elle ouvert la porte.

Compte tenu de la dégénérescence de son imagina-

208

tion, Tony Bring avoua qu'il ne voyait pas du tout ce qui avait pu arriver.

— Ils ont essayé de nous embrasser — tu te rends compte ? Nous étions dans le taxi, en train de parler de... (Elle se tourna vers Vanya.) De quoi discutions-nous, déjà ?

— Tu essayais d'expliquer ce qu'est le sadisme, répondit Vanya avec un pâle sourire.

— Oui, c'est cela — le sadisme... Je m'évertuais à faire entrer quelque chose dans leur esprit obtus, quand, tout à coup, je sens un bras qui se glisse autour de mon cou. C'était ce vieux dégoûtant, le capitaine. Il me dit que je dois lui donner un baiser, juste un petit baiser.

Elle fit une pause, observant la réaction qu'allait provoquer ce « petit baiser », mais comme Tony Bring ne trahissait aucun étonnement, aussi léger fût-il, elle poursuivit, animée d'une fureur un peu excessive :

— Je lui ai flanqué un bon coup de poing dans la figure.

Vanya ne put retenir un ricanement, ce qui parut exaspérer la rage de Hildred, plus encore que le comportement offensant de leurs deux cavaliers, dans le taxi.

— Qu'est-ce que tu as ? cria-t-elle.

— Oh, rien, dit Vanya, détournant le visage.

— Et c'est tout ? demanda Tony Bring. Il ne comprenait pas très bien le motif d'un tel scandale. Il regarda Vanya. Elle ne pouvait garder son sérieux.

— Je ne vois pas ce qu'il y a de drôle, s'écria Hildred, furieuse. Je ne l'ai pas frappé ? Hein ? Et *toi*... Qu'est-ce que tu as fait, *toi* ?

S'ensuivit une scène, au cours de laquelle le mot de « salope » fut généreusement renvoyé de l'une à l'autre. Il écoutait, stupéfait. Hildred traitait son petit génie malade, sa princesse, de salope ! Enfin, Vanya se dirigea vers sa chambre, claqua la porte au visage de Hildred et s'enferma à clef. Au bout d'un moment, ils l'entendirent sangloter.

— Pour l'amour de Dieu, entre et calme-la, dit Tony Bring. Je ne peux pas supporter ce bruit…. On dirait qu'on l'égorge.

Mais Hildred refusait de bouger. Il existait des choses qu'on ne pouvait pardonner. Qu'on le sache.

Quelles choses ? se demandait-il. Que signifiait tout cela ? *Juste un petit baiser ?* Ce ne pouvait être cela. Qu'était-il arrivé, en réalité ? Son imagination s'emballait. Tout finirait par se savoir, en temps et heure, mais… En attendant, il entendait Vanya sangloter, sangloter comme si on lui avait brisé le cœur. Puis, au moment où il sentait qu'il n'allait pas pouvoir supporter cela plus longtemps, les sanglots cessèrent. Un long silence plana, sinistre. Peut-être a-t-elle commis un acte désespéré, se dit-il, et les rouages de son cerveau tournaient sans cesse, comme ceux d'une horloge : police, tribunal, gros titres, cimetière, suicide, désespoir, ennui, frustration ! Si seulement elle l'avait fait ! Vas-y, fais-le, saleté ! Il sursauta : un cri aigu s'élevait, un cri à vous glacer les sangs, aussitôt suivi d'un terrible remue-ménage, comme si l'on jetait des chaussures dans tous les sens. Hildred bondit sur ses pieds, se ruant sur la porte de Vanya, se mit à la marteler de ses poings. « Vanya… Vanya chérie, ouvre la porte. *Je t'en prie*, Vanya… Je veux te parler… » Il y eut un silence pesant, bientôt rompu par une bordée d'injures. « Vanya… Vanya ! Je suis désolée… Pardonne-moi ? *Je t'en supplie*, Vanya… *Par pitié*, ouvre la porte ! »

Ils l'entendaient tout renverser, se cognant dans les meubles, encore et encore, comme une forcenée. Puis sa voix étrange, sa voix de folle s'éleva, carillonnant comme la voix d'un ange ivre, un ange à l'accent russe,

210

un ange avec dans le ventre un gramophone en bout de course, reproduisant decrescendo tous les registres de la voix humaine, à bout, plus bas, encore plus bas, comme la pluie qui rejoint les égouts.

Amère, cuisante était la déception de Tony Bring. Un feu d'artifice — voilà à quoi tout cela se résumait. Demain matin, elle réclamerait des fraises à la crème. Il se mit lui-même dans un tel état de rage qu'il avait envie de s'arracher les tripes de fureur. Si seulement la porte n'avait pas été fermée à clef ! S'il avait pu être là, avec elle, pour lui tendre le couteau à pain, pendant qu'elle braillait comme un cochon qu'on égorge. Il se sentait humilié.

Il se tenait sur le seuil de la chambre de Vanya, un balai à la main. Pour quelque mystérieuse raison, chaque fois qu'il pénétrait dans cette partie de la morgue, il était pris d'un désir insensé de saisir une pelle et une fourche, de nettoyer ce fumier, et de disposer au sol un lit de paille fraîche. « C'est un cheval, qui vit là, gronda-t-il, un cheval qui ne serait pas un vrai cheval, mais une acrobate qui fait du crottin de poésie. Un animal qui macère dans la boue de ses propres excréments. Une bête brutale, bondissante, qui ajoute de nouvelles images aux murs à chaque va-et-vient de sa queue. Pas un cheval, mais un lamantin à queue jaune, une créature paresseuse, herbivore, qui s'empoisonne avec du tabac. Avec ses nageoires mouillées, encombrantes, elle se vautre sur le bureau, sous la chasse d'eau, et pompe son inspiration dans le gargouillement des tuyaux. »

Tout dans la pièce sentait la déchéance, la dépravation. C'était là, dans ce repaire moite et puant, qu'elle luttait contre ses démons imaginaires, qu'elle roulait à bas du lit pliant, quand les murs commençaient à enfler, à osciller. C'était là, lorsqu'elle était ivre, qu'elle se lovait comme un fœtus pour se gorger de cendres de cigarettes. C'était là que venaient ses amis, pour exposer leurs miteuses théories de l'art, debout sur le lit avec leurs chaussures sales, pour punaiser des culottes sur ses nus plantureux, ou ajouter un nez, un pied manquants. Cet endroit était une matrice souillée, vomissant les ténèbres et le poison, visqueuse et blême comme le mucus opalescent de Michelet.

Il errait d'une pièce dans l'autre, le balai à la main. Un cachot puant ! Un cul de basse-fosse ! Vivre avec elles deux, c'était comme de vivre avec un monstre à deux têtes. Il alluma une bougie et l'approcha des murs, passant d'une image à l'autre. Des avaleurs de sabre, des nymphes couvertes de varices, des dryades et des hamadryades suçant la lune, des étalages de bazar, des squelettes aux couvre-chefs insensés, des fontaines hémorragiques, sanglantes comme des pierres précieuses. Léda et le cygne, des légumes doués de parole...

Il écarta les lourds rideaux de toile, et une lumière pâle s'infiltra dans la pièce. Il faisait jour, dehors ! Le Jour ! Un jour, et encore un jour, comme autant de gouttes qui tombent et ruissellent au loin, sans début ni fin. Comme les marées commandées par la lune, ils roulaient, se recouvraient les uns les autres, s'enflant parfois en un flot d'activité déchaînée, ou stagnant comme une mer étale. Et c'était ainsi, au cœur de cette dérive, que l'on était censé *vivre*. A la surface de ce courant incessant, des formes s'élevaient, brillantes, gonflées d'énergie ; durant une fraction infinitésimale du temps, la vie leur conférait éclat et densité. Dans le miroitement fugace de leur trajet, une sorte de signification obscure s'attachait à elles. Mais déjà, comme des météores filant dans l'espace glacé, elles avaient disparu ; comme une faune marine anéantie, inerte,

212

éteinte, elles sombraient sous la surface liquide, traversant l'ombre dense, les abysses effrayants, pour laisser leur squelette reposer au fond de l'univers. Dans la violence et le chaos, avec leur futilité et leur désespoir, elles naissaient de l'obscurité, du limon originel, pour mieux y retomber.

Il faisait jouer la lueur de la bougie, avançant, reculant. Comme une langue ardente, la flamme léchait les murs, marbrant de veines un bras délicat, faisant danser les torses et palpiter les muscles. Des taches colorées bondissaient vers lui ; c'était comme l'expression malfaisante que l'on surprend sur le visage d'un ami endormi.

# 6

Il était à peu près minuit lorsqu'il gravit les marches qui menaient à la petite terrasse, chez Paul et Joe. C'était un dimanche soir ; la terrasse était bondée de marins se pavanant avec à leurs bras de jeunes et ravissants pédérastes, qui zézayaient en roulant des yeux extasiés. Dans le couloir, saturé comme un wagon de métro à l'heure de pointe, des femmes s'enlaçaient, des noires et des blanches, sans distinction. L'air était empuanti de parfums. Il régnait une effervescence générale. Il redescendit au sous-sol où, presque au centre de la pièce, se tenait Hildred, entourée d'une masse compacte de femmes d'aspect morbide, parmi lesquelles on reconnaissait Toots et Ebba, et Iliad et sa mère. Elles étaient affaissées sur les tables dans des poses relâchées, parlant toutes en même temps, sans se soucier apparemment du tumulte qu'elles généraient. Elles ont l'air complètement flétries, se dit-il, se dirigeant vers la table et tapotant l'épaule de Hildred.

Elle leva les yeux vers lui, l'air ahuri.

— J'aimerais te dire un mot, dit-il. Immédiatement, le bavardage cessa.

S'excusant, Hildred se leva et se dirigea vers le vestiaire, suivie de Vanya qui lui jeta un regard vengeur. Il prit une chaise à côté d'une grosse Norvégienne avec laquelle Hildred bavardait. Elle semblait être la seule à ne pas s'offusquer de son intrusion. Malgré l'expression endormie de ses yeux, elle manifestait un esprit remarquablement vif, une franchise presque insolente. Et en même temps, il y avait en elle quelque chose de ridicule — ces gros seins flasques, pendant sous sa chemise, raides comme deux poêles à frire. Elle voulut savoir s'il connaissait Hildred et Vanya depuis longtemps, mais la conversation fut interrompue. Deux lesbiennes s'étaient soudain levées d'un bond, le poil hérissé, chacune à une extrémité de la pièce, et se mettaient à chanter ensemble, l'une d'une profonde voix de baryton, l'autre d'une voix de fausset altérée par la boisson. Le spectacle était à peine fini qu'un jeune Viking se dressait et, d'un timbre angélique, se mettait à roucouler « Ma petite maison grise, là-bas dans l'Ouest ». Puis un marin se leva et entonna une chanson grivoise, sur quoi la Norvégienne demanda tout de go, d'un ton froid, depuis combien de temps Hildred se droguait. Il la regarda, éberlué. Puis Toots et Ebba intervinrent. Elles ne pouvaient comprendre, disaient-elles, pourquoi Vanya laissait quelqu'un comme Hildred la tyranniser. Hildred était un fruit sec, cela sautait aux yeux. C'est Vanya qui avait toute la personnalité, et l'intelligence. La mère d'Iliad ajouta son grain de sel : Hildred ne lui revenait pas. Elle se méfiait d'elle, sans pouvoir dire exactement pour quelle raison. Ebba déclara que Hildred était un faux-jeton, de bout en bout. Elle ne s'intéressait pas vraiment à Vanya — elle l'utilisait, c'est tout. Si on lui demandait son avis, ce que Hildred désirait, c'était *un homme*. « Tu veux dire que... ? » s'exclama la mère d'Iliad, mais elle s'interrompit brusquement en voyant l'expression de sa fille. Alors Minna, la Norvégienne, se réveilla. Il y avait une lueur espiègle dans ses yeux, un éclat malicieux, jusqu'alors dissimulé par cette pelli-

216

cule écumeuse qui semblait recouvrir son regard à volonté. « Pour autant qu'on le sache, dit-elle, Hildred est peut-être mariée. Et, si elle n'est pas mariée, elle est amoureuse... Amoureuse d'un homme. Vanya n'est pas le seul atout qu'elle ait dans sa manche. » Déclaration accueillie par une tempête de rires, suivie d'une allégresse incontrôlable quand Iliad tenta d'expliquer que Hildred était une personne très charmante, qu'elle avait toujours été une très bonne amie pour elle, etc.

Ils étaient au lit, couchés. Il refusait d'expliquer pourquoi il était venu la chercher, pourquoi il l'avait traînée à la maison. Rien à en tirer. Il se contentait de marmonner des mots incompréhensibles — « les hommes avec des chemises de couleur... des athlètes au cou de taureau... ». Incohérent. Incohérent. De temps à autre, il se retournait, il disait : « La lettre... La lettre ne devait pas finir dans les toilettes », puis il revenait à ses bribes de phrases incompréhensibles. Elle faisait semblant de dormir, elle ronflait même, mais il maugréait toujours. « La lettre... la lettre, qui ne devait pas finir dans les toilettes... strictement personnelle... sacrée... » Elle ronflait plus fort, à présent.

Quand il eut cessé de grommeler, et qu'elle fut bien certaine qu'il dormait, elle se glissa hors du lit et fouilla dans les poches de son pardessus. Il gisait paisiblement, les bras repliés sur la poitrine. Elle craqua une allumette pour vérifier que ses paupières étaient parfaitement closes. Puis elle se dirigea tout droit vers la salle de bains, sur la pointe des pieds. « Parfait, murmura Tony Bring dans son sommeil. Parfait. Qu'elles la cachent de nouveau. Les mots qui refusent de finir dans les toilettes remontent toujours à la surface. »

Sans doute avait-elle à présent l'esprit en paix car, ayant regagné le lit, elle s'endormit immédiatement.

Elle avait toujours l'esprit en paix, après un séjour à la salle de bains. Mais, cette fois, la petite nonne cloîtrée dans sa cellule avait dû être bien surprise en recevant un courrier spécial, en main propre. Reconnaissait-elle son écriture de la période Romanov ? « Ma Sodome et Gomorrhe — c'est ainsi que cela commençait —, toi qui abandonnes si légèrement tes lèvres vertes. Les hommes aux chemises de couleur, les athlètes au cou de taureau... les amants qui se séparent toujours devant ces lourdes portes. La rivière coule, et le courant rapide emporte les rats crevés, mais je ne suis pas un rat crevé. Il y a bien un revolver, mais les balles restent toujours collées. Je n'ai pas réussi à me suicider... mais je t'aime, Hildred, je t'aime terriblement. (Un terrible amour platonique, sans aucun doute, venu de Sodome et Gomorrhe.) Hildred, tu serais une perverse, précieuse et délicate (pardon !) si l'on pouvait éliminer le chaos qui t'entoure. Je t'en prie, ne vois-tu pas tout ce qu'il y a en toi ? » Depuis un moment, bien sûr, la précieuse petite perverse avait jeté un coup d'œil dans le cercueil serti de pierres de son âme, et découvert ce qu'il y avait en elle. Il songea à Minna, la Norvégienne avec ses deux poêles à frire accrochées au cou. Comment était-elle parvenue à forcer le couvercle de ce cercueil doublé de satin, et qu'avait-elle découvert ? Contenait-il des squelettes, à côté d'athlètes au cou de taureau ? Et où était le mari, parmi tout cet encens et tous ces parfums ? L'avait-on déposé là, lui aussi, avec les chemises de couleur et les balles qui restaient collées ?

Elle gisait près de lui, détendue, inerte, tournant vers lui son visage, dans une hypnose sereine. Son haleine sentait un peu l'alcool. Mais elle était belle... belle. Pas une trace de malignité, de mensonge ou de drogue. L'innocence. L'innocence sublime. *Je t'aime, Hildred, je t'aime terriblement.* Le miracle, c'était que les gens dans la rue ne se prosternent pas à ses pieds. Le miracle, c'était qu'elle fût de chair et de sang, et non une statue, une fleur ou une pierre précieuse. *Une perverse, précieuse et délicate...* Il contempla son front, si lisse, si serein, si parfaitement impénétrable. Une pelote de mystère, et pour elle-même aussi. Qu'y avait-il, derrière ce rempart de chair et d'os ? Pouvait-il espérer savoir un jour ce qui se passait là ? En supposant que, dans un moment de profond repentir, elle déclare « Je vais tout te dire », même alors, il ne saurait rien. Il saurait ce qu'elle voudrait qu'il sût, et rien de plus.

Peu à peu, la pensée de son impuissance devint si obsédante qu'il finit par fermer les yeux, se laissant emporter par une vague de cruauté gratuite, irréelle. Tel un vivisecteur froid et minutieux, il se voyait, penché sur elle avec un scalpel, découpant la chair de son cerveau, sciant la boîte crânienne d'une main ferme, pour mettre à nu les douces circonvolutions grisâtres, le délicat, savoureux enchevêtrement de mystères que personne ne pouvait défaire. Il laissa échapper un rire glacé, sans joie — ce rire qui fait écho à la solitude. Le rire que pourrait émettre un chien dressé à comprendre les plaisanteries humaines. Il se répéta des formules vides, tirées des ouvrages dérisoires des grands pontes. Ils pouvaient tout expliquer de l'univers, y compris la toute-puissance de Dieu, sauf soi-même. Ils fourrageaient dans les entrailles, faisaient bouillir des microbes invisibles, soupesaient l'impondérable, extrayaient le suc de la colère et de la jalousie, analysaient la composition de planètes pas plus grosses à l'œil qu'une tête d'épingle, mais la chose la plus difficile pour eux était d'admettre qu'ils ne savaient rien. Ou bien, s'ils l'avouaient, c'était dans un jargon si obscur, si grandiloquent, qu'on ne pouvait les croire. Personne ne pouvait en dire tant à propos de rien que l'homme qui prétendait ne rien savoir.

Soliloquant ainsi, il finit par sombrer dans un profond sommeil ; il rêva qu'il était pendu par les pieds au toit d'un wagon de marchandises. Il ne voyait que le plancher, et les cages des hommes qui l'entouraient. Le wagon était rempli de cages, de cages cylindriques à la dimension humaine, accrochées au plafond. Tous les hommes étaient suspendus par les pieds. Lorsque le train faisait une embardée, les cages s'entrechoquaient avec un léger tintement. Les propos échangés étaient sens dessus dessous également, ou bien peut-être cette impression venait-elle de ce qu'ils étaient tous fous. Quand ils furent arrivés à l'asile, on sortit les cages une à une ; elles portaient la mention FRAGILE. Ils demeurèrent ainsi, soigneusement étiquetés, se balançant, accrochés par les pieds. L'un d'eux, dont l'étiquette indiquait « phagomanie », demanda si on allait les nourrir ainsi, à l'envers, et le préposé répondit : « Bien sûr, pourquoi pas ? Si vous pouvez parler la tête en bas, vous pouvez manger la tête en bas. » Sur quoi les cages furent disposées en cercle, et on amena un beau cheval blanc. L'étrange, chez ce cheval, était qu'il possédait une queue de paon. Plus étrange encore, il se mit à caracoler sur ses pattes de derrière, et à leur parler en anglais. S'arrêtant devant chaque cage, le cheval s'inclinait avant de demander, dans son parfait anglais de cheval : « Êtes-vous équilibré, ou déséquilibré ? » Quelle question ! Personne ne voulait répondre à une telle absurdité. Ainsi, on les emporta, tous sans exception, et on les mit au réfrigérateur, afin de les rafraîchir. Et plus personne ne pouvait déterminer s'il était équilibré ou non. Il faisait frisquet, dans le réfrigérateur. Les cages se balançaient comme des pendules. Le temps s'écoulait, un temps froid comme de la glace. C'était là un temps différent, comme ils n'en avaient jamais connu auparavant. C'était un temps de glace, sans fractionnement, sans pause. Un temps circulaire, prénatal, sans ressort ni pulsations, ni course...

# SIXIÈME PARTIE

# 1

La fin. Toutes choses prennent fin là où elles renaissent, imitant en cela le cercle, ou le chien qui court après sa queue, ou l'infini tel que nous le percevons, inconcevable, indissoluble. La fin, c'est un lapin lapant le clair de lune sur le pavé, des revolvers qui cliquettent là où le dos s'efface en une sphère osseuse. La fin, c'est l'amorce d'un cercle, avant que les bords ne se figent et ne se coagulent en des points qui n'ont jamais existé, et n'existeraient jamais sans les tableaux noirs et ce qui fait exister les tableaux noirs. La fin, c'est quand tous les tiroirs ont été fouillés, et que tout ce dont vous avez besoin tient dans un mouchoir, ou quand les initiales dans votre chapeau ne veulent plus rien dire, et que votre tour de tête n'est plus qu'une équation vide de sens. La boussole indique les quatre points cardinaux, et vous pouvez voyager horizontalement, verticalement, car tout n'est qu'illusion — les tickets, les gens, la destination, la distance, la vitesse. Quand vous dites adieu, c'est la fin de tout cela, une fin singulière, inachevée, comme un ver solitaire qui se nourrirait de soi-même. Une fin qui aboutit à un nœud dans la gorge, à un sanglot, aux roues qui grincent, à la suie, aux fermes, visages, absences, néant, visages, fermes, souvenirs, odeur fauve du souvenir, roues qui grincent, revolvers qui cliquettent, trop tard, trop tard pour tout, change d'avis, reste, saute, retourne, brouillard, fermes, visages, absence, néant.

Il avait à peine refermé la porte qu'elle se précipitait au téléphone, à l'étage. « Il est en route... il vient... il s'en va. Oui, il veut dire adieu. Adieu. J'arrive. Je serai là dans un petit moment. Adieu. Adieu. »

Œil pour œil, feu pour feu. La glace rouge sang et le parfum noir. La déesse lunaire, le feu lunaire. La fumée des baisers consumés. D'une harpe saigne la musique verte ; des pavots flottent sur une mer froide. Rondeur du début, et la fin comme un nombril. Cratères débordant de glace rouge sang, hémisphères débordant de lait chaud, de duvet de cygne et de tranches de veau.

Adieu, c'était là le miracle, et voilà tout. Fermes, visages, roues qui grincent. Je t'aime terriblement, ne vois-tu pas ce qu'il y a en toi ? De gros morceaux de terre noire qui traversent le ciel, venant vers nous, et abandonnent si légèrement leurs lèvres vertes.

A son contact, la mémoire des choses, noyau incorruptible qui précède et persiste, souvenir encore présent, brillant d'un dernier éclat. L'ondulation de ses reins, sécrétée dans le sang. Ses seins aux mamelons de mélancolie, ses mensonges fumants, ivres de passion, festonnés de cicatrices et de traces de crocs, femme sur femme en harpes saignantes, en baisers suffocants de pavots et de vague à l'âme, en jeunesse enfuie, matrice retournée, cordes claquant d'une musique morte, la musique de la nuit écrite sur la table et le sable criblé d'étoiles et de vagues illuminant le nid du scorpion.

Mille années de mélancolie les séparaient, et elle n'avait aucune réponse à offrir. Qu'y avait-il à répondre, si la vie était un poème, la drogue et l'encens d'un hier et d'un demain infinis. Leurs genoux se touchaient sous la table. Sous combien de tables, des genoux et des mains, des squelettes articulés par l'amour, des objets qui marchent comme des automates, et qui touchent, le pollen, les racines qui creusent, les fibres et les vertèbres, les sucs verts, le vent qui murmure, et les choses qui rampent dans la nuit, sans un bruit. L'agitation, le mouvement, les ailes repliées, le dard d'une lumière sans chaleur, les mondes qui soupirent silencieusement et les os qui blanchissent, et la poussière qui ressuscite.

Sa vie entière tenait à un fil. Elle avait à la main un papier couvert de mots qu'elle lisait et recomposait à son idée. Il existait une physique et une chimie des mots ; il existait une électrolyse du langage, une pensée érigée en symbole, investie et désinvestie, polarisée par le sang, ancrée dans l'instinct, dérivant avec la lune en marées hautes et basses, selon le cycle monotone et fou de la chair et de la vie imaginaires, des barreaux de prison et la fenêtre du ciel, les chants qui éclatent, le délire. Elle les prenait un à un, harmonie interne, intangible, de la cathode et du vortex, tendre substance visible de la croissance moléculaire, elle s'en saisissait, et les remontait, comme le moteur d'une écriture de vie.

Soit elle le laissait partir, soit elle le suppliait de rester. Il ne suffisait pas de dire « Ne pars pas ! », loin de là. Non, quelque chose d'extraordinaire devait arriver. Il faudrait qu'elle tombe à genoux, qu'elle supplie, qu'elle implore. Une fois déjà, alors qu'il n'existait ni question ni réponse, elle s'était agenouillée devant lui, dans la rue. Elle l'avait appelé « son dieu ». Depuis lors, d'autres dieux avaient vu le jour. Le grand dieu avait fait place à de plus petits. Mais il n'existe qu'un seul dieu. Il ne peut en être autrement, puisque, par définition, Dieu est Dieu.

Le temps des choses extraordinaires était passé. « Pars un petit moment — mais reviens-moi ! » C'étaient là ses propres mots. Ainsi, la vie l'avait abandonnée. Elle était comme le fléau d'une balance en équilibre, un équilibre rance et pesant, un simulacre de vie, la passion réduite à sa géométrie. *Pars un petit moment...* Elle se tenait debout dans la vase, les yeux grands ouverts, et voyait des anges là où étaient des albatros. Le ciel bruissait toujours d'ailes, mais ce n'étaient pas des anges qui s'abattaient, épuisés, à ses pieds.

Soudain, Vanya fit irruption, toutes voiles dehors, ou plutôt vint les aborder, les éraflant au passage comme un ferry-boat heurtant le quai de biais. Elle était haletante, et couinait un peu en parlant. La marée était forte. On entendait le bois éclater, et le grondement des machines en arrière toute.

— Il ne part pas vraiment, n'est-ce pas ? demanda-t-elle.

— Si, répondit Hildred, mais pour un petit moment seulement.

— Non ! C'est moi qui partirai. Je ne le laisserai pas s'en aller.

Elle parlait avec fougue, se répétant, retrouvant parfois son étrange accent russe. Hildred écoutait, calme comme la mort, le regard pétrifié ; derrière le masque, la terreur se transformait en bile. Son esprit tournait à plein rendement, comme une turbine.

L'idée était si simple, si monstrueusement claire et brutale, qu'elle les figeait sur place. Jusqu'à présent, elles avaient avancé en boitillant sur des béquilles ; tout d'un coup, on leur ordonnait de les jeter. Plus encore, on leur ordonnait de marcher jusqu'au bord d'un précipice, et de s'y jeter. Sans recommandation, sans préparation. Sans même une goutte d'eau bénite pour susciter un miracle, ni un ossement à toucher ; pas même un vague relent de châtiment. Le mari et la femme étaient là, assis, leurs genoux se touchant. Ils se faisaient face comme deux cités ennemies, épuisées par des siècles de lutte. On les aurait dit victimes de quelque affreuse tromperie, comme si la paix avait été instaurée sans massacre, comme si la nature elle-même s'était interposée, et le sol ouvert entre eux, abolissant leur haine réciproque. Il était parfaitement contre nature, contre tout instinct humain, de tourner ainsi le dos à un problème de chair et de sang, comme un hypnotiseur qui quitterait la scène, laissant son cobaye figé entre ciel et terre, en catalepsie, dans une impuissance ridicule. Le lendemain même, un continent tout entier pouvait sombrer dans l'océan ; on ne pouvait dire si cela était juste ou injuste. Mais qu'une femme, mettant au monde un monstre, prît sur elle de fracasser le crâne de son bébé, c'était là tout autre chose, c'était un crime contre la nature, ou contre la société, une chose juste ou injuste, passible d'une punition légale. La société avait rendu si complexes les relations entre les hommes, avait si bien emprisonné les individus dans un réseau de lois et de croyances, de totems et de tabous, que l'homme était devenu un être antinaturel, une chose séparée de la nature, un phénomène qu'elle avait créé, mais qu'elle ne contrôlait plus.

Il descendit Broadway, passa le pont de Brooklyn. Vanya l'accompagnait. Elle avait insisté pour porter sa valise ; elle la portait avec reconnaissance, comme un coolie fier du privilège d'accompagner un grand explorateur à son hôtel, si fier, en réalité, qu'il se froisserait si on le gratifiait d'un pourboire.

Hildred devait rentrer dès sa journée terminée.

Ils arrivèrent à la maison, le grand explorateur accompagné de son coolie, et poussèrent la valise dans un coin. Et maintenant ? Le grand explorateur aimerait-il un peu de thé et de confiture, pouvait-elle lui allumer une cigarette ? Elle délaça ses chaussures et l'aida à passer une paire de pantoufles bien chaudes, le couvrit de son propre peignoir de bain, régla l'éclairage. Mille attentions spontanées...

Hildred ne tarderait pas à rentrer. Elle lui parlait à l'oreille, comme une nounou : « Chhhut... Maman sera bientôt là... » C'était un crime, de nourrir les bébés au biberon. Ce qu'il faut à un enfant, c'est le sein d'une mère. Les mères modernes n'ont pas de seins, ou bien elles les étranglent. Quoi qu'il en soit, une mère est une mère ; le biberon ne remplacera jamais un sein.

Durant cet intermède, le bébé divertit la nurse en inventant des contes de fées...

Il était une fois une reine aux cheveux d'or et au derrière d'ébène. Elle venait du tropique du Capricorne, lequel se trouve sous l'équateur. Sa langue était de vif-argent, et elle vénérait d'étranges dieux. C'étaient des dieux pratiques, par la taille et le poids ; elle en ramassait, quand elle était d'humeur joyeuse, et les dissimulait dans un cercueil. Parfois, elle les portait autour du cou, comme des perles. Souvent, quand elle sortait faire une promenade, elle se disait : il y a encore de la place pour un dieu, dans le cercueil. Sur quoi, à l'écho d'un pas divin, elle se prosternait aux pieds d'un inconnu et s'écriait : « Tu es mon dieu ! Je te vénérerai toujours... toujours ! » Et comme, trop impulsive, elle ne faisait pas suffisamment attention, elle s'apercevait parfois qu'elle avait commis une erreur, et accordé sa dévotion à une vache ou à un épaulard.

« Où est Vanya ? » s'écria Hildred d'une voix étrange, comme si son diaphragme était en feu, comme si elle avait des renvois de fumée. Elle regarda partout — sous la baignoire, sous la chasse d'eau, sous l'évier. Pas de Vanya. Mais toutes ses affaires étaient là, y compris le linge sale qu'elle avait pris soin de fourrer sous son lit. Le Comte aussi était là, posé dans son coin comme une vieille mandoline. Il y avait aussi des bras et des jambes un peu partout, des manches, et des perruques macérées dans l'héliotrope. On aurait dit un laboratoire où se poursuivait une expérience — une expérience inachevée. Une maison qui réunissait ainsi tous les éléments de la poésie et de l'expérimentation — une telle maison ne laissait rien à désirer, si ce n'est de la musique, et des enfants. Des deux, peut-être la musique était-elle la chose la plus difficile à ramener à bord. Il y avait bien cette vieille mandoline de Comte Bruga, évidemment, et aussi le réservoir musical, dans le zénana, qui tinterait mélodieusement, tant qu'il lui resterait un tuyau. Et il y avait la harpe rouge sang qui saignait ses notes vertes et qui, quand toutes les cordes résonnaient, répandait une symphonie de lunes siciliennes. Les enfants viendraient en temps et heure. Vanya, dans ses moments d'ivresse, sentant sa vessie se distendre, promettait de donner le jour à un surhomme blond — bien que, selon toutes les lois de la génétique, le génie accouchât le plus souvent d'un être médiocre. De tous les rêves qui peuplaient le sommeil de Hildred, celui de ce bébé blond à l'esprit éveillé, au sang charriant une ardeur, une vigueur toutes septentrionales, était le plus singulier et le plus stupéfiant. Le bébé renaissait sans cesse, toujours doté d'une denture complète et d'une langue prodigieuse. Il zézayait légèrement, non pas à cause d'une malformation quelconque, mais par pure perversité. Mais cela n'était rien,

231

en comparaison des choses merveilleuses qu'il exprimait. Ce n'étaient pas des mots qui tombaient de ses lèvres, mais des joyaux, débordant d'un cercueil. De temps à autre, des os se mêlaient à la cascade — mais jamais beaucoup, à peine assez, eût-on dit, pour faire un squelette de bonne taille.

Vers le matin, le téléphone sonna. Hildred passa un kimono et monta en courant. Elle parlait d'une voix si douce que c'était presque une caresse. Il avait du mal à l'entendre, bien qu'il demeurât tendu, sur la pointe des pieds, au bas de l'escalier. « Je ne peux pas... Je ne peux pas » fut tout ce qu'il put saisir.

— Elle est affreusement saoule, déclara Hildred en regagnant le lit. J'ai eu du mal à comprendre ce qu'elle disait.

— Où est-elle, alors ?

— Je ne sais pas, dit Hildred.

— Alors, que voulait-elle ?

— Elle voulait que je la ramène à la maison.

— Comment pouvais-tu aller la chercher, si tu ne sais pas où elle est ?

— Tout est là.

— C'est lamentable ! dit Tony Bring. Elle court à sa perte...

Ce qui fit rire Hildred de tout son cœur — et Dieu sait qu'elle riait rarement à ce qu'il disait —, de si bon cœur même qu'une veine éclata à son cou, et demeura enflée pendant des jours.

## 2

Chacun savait qui était le rossignol de Lesbos, mais c'est Vanya qui découvrit que c'était le quatre-vingtième astéroïde, ainsi qu'un colibri à queue flamboyante. Cela donna lieu à des poèmes dédiés au dix-huitième astéroïde et aux pigeons, ces oiseaux dystociques qui ne pondent que deux œufs par couvée. Semblable à un héron pourpre, Vanya lissait ses plumes dans le marécage du savoir. Elle parlait de cétacés delphiniformes et de mérous dorés, d'asymptotes et de paraboles, de Sarvasti, déesse de la Science, de batraciens, de Lapithes. Durant trois jours pleins, elle les régala de considérations ininterrompues à propos de la pourriture blanche du cœur. C'était là une maladie qui, en principe, ne concernait que les arboriculteurs. Vanya s'en empara. Il y a maladie et maladie. Mais celle-ci avait quelque chose de fascinant. Elle était provoquée par un genre de champignon destructeur, qui attaquait le cœur du bois de divers arbres à feuilles caduques. Tout comme l'épaulard, le champignon dit faux-amadou était un tueur ; simplement, au lieu de s'attaquer aux phoques et à la faune marine, il s'en prenait aux arbres. Un arbre à feuilles caduques se trou· vait absolument sans défense, face au champignon faux-amadou. Une fois que celui-ci avait pénétré au cœur du bois, tout était joué ; l'injection de bisulfide de carbone par les orifices obstrués de sciure, ou la pulvérisation du feuillage avec de l'arséniate de plomb demeuraient sans effet. *C'était la mort par pourriture du cœur.*

Cela la rendait littéralement cinglée, ce chant de corruption, cette épopée arboricole de mort et de transfiguration. Elle se comportait comme un sloop voguant tout droit vers la tempête. Tandis que le vent mugissait dans son esprit, en bas les vers s'activaient, transformant le bois en sciure. Il était vain d'essayer de colmater les plaies avec du mastic. Les plaies s'étendaient, ouvrant de larges trous dans ses flancs, des trous par lesquels on aurait pu passer un parapluie.

Un soir, rentrant tard à la maison, Tony Bring trouva Hildred assise toute seule, la tête enfouie dans les bras. Elle sanglotait. Et Vanya ? Vanya était dans sa chambre, en train de gribouiller, de pondre ses œufs bleu-vert, sans défaut, gracieux comme des œufs de pigeons. Un drame se jouait, mais à quel acte en étions-nous, et quelle était l'intrigue, il ne pouvait le dire. Ainsi sont les âmes secrètes : lèvres scellées, et d'une loyauté d'escroc. Non de tendres polypes, même quand la guerre les ravage. Étrange que tout dût aller de travers, juste au moment où chacun avait trouvé une occupation, et où Paris était plus proche que jamais. Peut-être y avait-il eu un problème à l'école de dessin... Peut-être Vanya avait-elle recommencé ses imbécillités. Certes, c'était un travail idiot que de rester assise, immobile sur un tabouret, avec un chiffon noué autour des seins, ou de se tenir debout sur un pied en prenant l'air rêveur. Qui pouvait leur reprocher de prendre un petit coup de gin de temps à autre, pour se redonner du courage ? Épuisé d'imiter le marbre, d'inspirer des rêves, le rossignol de Lesbos se laissait parfois aller à une crise d'hystérie. C'était là une hystérie de statue. Mais qu'une âme charitable lui fît prendre quelques flocons de neige, et elle redevenait docile, retournait à l'état de marbre, ne perdait plus l'équilibre. En quittant l'académie, elle s'envolait comme un colibri, déployant sa queue flamboyante. A cause de ces envolées et de ces plongeons, elle souffrait à présent de nostalgie, ce qui est un terme singulier pour désigner le mal de dos. Hildred affirmait qu'elle parlait bien de nostalgie, mais nostalgie n'était pas le mot exact. Il ne s'agissait pas de mal du pays, mais d'une affection de la colonne vertébrale qu'elle avait contractée. Cela provenait de ses voltiges, ou de ses séances de pose en Victoire ailée. La douleur ne cessait que quand on lui fournissait ses flocons de neige.

Et Tony Bring ? Que fait-il pour gagner sa vie ? Il semble si tranquille depuis quelque temps, si soumis… On ne penserait jamais, en voyant ce citoyen paisible, discret, qui rentre tranquillement chez lui, qu'il a passé toute la soirée à hurler de toutes ses forces. Ça n'est visiblement pas le genre d'homme à élever la voix au marché, ou dans le métro. Au début, quand il ouvrait la bouche, c'était plutôt un murmure que l'on entendait. Mais on ne vend pas les journaux en murmurant les nouvelles. Non, cela, il l'avait vite compris. Il fallait développer une voix de stentor, une voix d'airain, capable de réveiller les morts, de les arracher à leurs rêves. Il fallait foncer, bousculer les gens, jouer des coudes, brailler plus fort que le voisin. C'était la seule manière de se débarrasser de son fardeau. Le samedi soir, Tony Bring savait ce qu'était la nostalgie — c'était une courbature de la colonne vertébrale. Mais chez lui, elle n'était pas due à des évolutions aériennes, car s'il possédait des ailes, il n'en avait pas conscience, ou bien elles étaient atrophiées. Il ressentait plutôt ce que doit ressentir l'escargot qui traîne sa maison sur son dos. Et, quand venait la neige et que les gros titres annonçaient le blizzard, le blizzard soufflait, tant il est vrai que le blizzard est le blizzard. Les flocons, doux, mous, inoffensifs, insipides, désodorisés, charriaient le message dans le réseau de ses nerfs, diluaient son sang... Bien qu'ayant maintenant plus que jamais partie liée avec la grande presse métropolitaine, il ne lisait que les gros titres. Les gros titres étaient les digues érigées par des cerveaux troublés pour contenir la marée typographique qui montait à chaque édition et menaçait de submerger les habitants. Ils s'étalaient en lettres de sueur et de puanteur, conspirant comme des prostituées, ils hurlaient leur rage cancéreuse, ils poétisaient, glorifiaient la bagarre, ils crucifiaient les pécheurs, ils embaumaient les morts, électrisaient les abrutis, tiraient les constipés de leur léthargie pâteuse. Les gros titres écrasaient son esprit, étranglaient ses rêves, lui brisaient le dos. Ce n'était pas un corps qu'il ramenait à la maison, le soir, mais une accumulation de meurtrissures. Ses rêves étaient ceux de la chenille avant qu'elle n'ait appris à voler, ceux de la tortue dont les chasseurs fracassent la carapace.

Il y avait mieux à faire que de rester debout sur une jambe, avec une serviette autour des hanches : donner du sang à ceux qui en avaient besoin. Tout ce qu'on exigeait de vous, c'était une bonne santé. Si l'on avait une bonne santé, on avait du bon sang, et le sang était d'un bon rapport, ces temps-ci. Il se vendait de quinze à cent dollars le demi-litre. Cela dépendait de la qualité. Supposons, par exemple, que l'on eût du sang de qualité A. On ne disait pas « Qualité A », évidemment, mais peu importe. De fait, en se nourrissant bien, en prenant régulièrement un verre de porto, et en veil-

236

lant à garder ses intestins libres de toxines, on pouvait vendre un demi-litre de sang tous les dix ou quinze jours. Pas besoin de se montrer en société, de faire jouer des influences politiques, aucun capital à investir. Juste du sang généreux, riche et sain — de qualité A, de préférence —, et le tour était joué.

Ainsi, il existait dans le Village certain donneur qui connaissait la règle du jeu de A à Z. Il était classé A, et son épouse de même, en termes de qualité de sang. A eux deux, ils en avaient donné assez pour mettre un cuirassé à flot. Et si vous les aviez vus ! Des roses épanouies à leur joue, des manteaux de fourrure... En passant n'importe quel soir au Caravan, vous aviez toutes les chances de les trouver en train d'avaler des biftecks, de danser à jambes rabattues, ivres de sang, ou de manque de sang.

Il existait des hôpitaux à n'en plus finir, à New York, et certains étaient préférables à d'autres, du point de vue du donneur. Certaine institution juive se montrait la plus généreuse, mais il existait là une liste d'attente — une liste interminable. Bien sûr, quand vous étiez un peu connu, quand votre sang avait acquis une certaine réputation de qualité, vous pouviez vous faire une place enviable. Mais il était préférable de commencer par un établissement modeste — un hôpital presbytérien, ou quelque chose de ce genre.

Cependant, il fallait fournir des échantillons. Ils envoyèrent à droite et à gauche des prélèvements ordinaires — gratuitement, comme spécimens. Ils déposèrent ainsi des échantillons dans toute la ville. Hildred eut quelques problèmes ; une infirmière du dimanche la piqua au mauvais endroit, et son bras se mit à enfler, ses veines noircirent. Elle assura qu'elle allait perdre son bras, mais en fin de compte elle le conserva. Ensuite, elle fut prise de vomissements. Son estomac ne supportait même plus les fraises des bois. La seule chose qu'elle pût tolérer était le porto. Le porto, c'était un fortifiant. A chacun, elle conseilla de se mettre au porto.

Dans certains hôpitaux, on ne se contentait pas de vous faire une prise de sang. On exigeait un examen méticuleux : le cœur, les poumons, l'urine, le poids, la taille, le test Wasserman, la nationalité, l'hérédité, etc. On ne vous aurait pas fait tant d'histoires pour une assurance vie de cinquante mille dollars. Ensuite arrivaient les jeunes loups, avec le stéthoscope accroché autour du cou — des monstres de méticulosité. Même une chose aussi minime qu'un soutien-gorge faisait obstacle à leur examen patient et exhaustif. D'autres, de vieilles ganaches épuisées, ne vous demandaient même pas de tousser. L'idéalisme régnait sans partage, quel que fût l'angle sous lequel on voyait les choses.

Enfin vinrent les rapports d'analyse. Ils arrivaient par le courrier, comme des lettres de refus d'éditeurs. Certains étaient des sténotypes rédigés en termes cérémonieux, d'autres des mots secs et brutaux, écrits à la main — par des étrangers, ou des gardiens de nuit. Une chose apparaissait clairement : ils ne convenaient pas. Il n'était pas question de qualité A, ni B, ni C, ni même D. Les vigoureux globules rouges, tant recherchés ces temps-ci, étaient accolés d'un signe moins. Mis à part la question de bon ou de mauvais sang, d'autres choses n'allaient pas, tant de choses en fait que c'était pur miracle s'ils échappaient au cancer, à l'hydropisie ou à la syphilis. A la source de tous les maux, on trouvait l'anémie. L'anémie était une espèce de pourriture blanche du cœur, dont étaient victimes les organismes citadins, une maladie qui transformait le sang en eau de vaisselle. Qui pouvait bien produire une analyse de sang irréprochable, dans une ville comme New York ?

Cela n'avait aucun sens. Ils n'allaient pas se laisser paniquer par de jeunes péquenauds avec des stéthoscopes autour du cou et des pantalons blancs au pli en lame de rasoir. Ils étaient *sous-alimentés*, c'était cela, la cause de tout le problème. Davantage de fraises. Davantage de porto. De gros biftecks bien juteux, avec plein de sang bien rouge. Au diable les médecins ! Ils tiraient la sonnette d'alarme pour un rien. Si vous aviez de l'argent, et les moyens de vous inquiéter de votre santé, ils vous tuaient d'effroi. On pouvait maintenir un millionnaire en vie, même après lui avoir enlevé l'estomac. Il existait des hommes dont la langue avait été rongée par le cancer ou la dépravation, et qui pouvaient cependant paraître à un dîner, en smoking, et se nourrir par un orifice artificiel. Un pauvre, si par hasard il toussait, avait le droit de mourir faute de soins. La toux, cela n'intéressait guère le corps médical. Les pharmaciens étaient là pour s'occuper de la toux et du mal de dos. Les progrès de la médecine étaient tels que ça n'était plus une science, si jamais cela en avait été une, mais un art. L'art de prolonger la vie — par des moyens artificiels. Ah, s'il n'y avait pas les riches, combien leur manqueraient ces raffinements, ces subtilités, ces complexités ! Dans le corps des riches, la maladie bourgeonnait en abondance. Sur ces précieux tas de fumier, quelles merveilleuses roses s'épanouissaient, quels magnifiques ulcères ! A présent, les hommes de science en étaient presque à transformer en papillons les gâteux et les hyènes. Le progrès... Le progrès... Il y avait de cela cent ans, l'arbre de vie était prompt à pourrir et à se décomposer, mais aujourd'hui il se développait, et continuerait de se développer, bien que le tronc en soit aux trois quarts cimenté.

## 3

Le soir de l'anniversaire de Lincoln, il y eut une tempête de neige, et entre l'anniversaire de Lincoln et celui de Washington, la neige ne cessa de tomber par intermittence, recouvrant tout d'un tapis d'ouate, de sorte que les poubelles et les tonneaux de détritus eux-mêmes prirent un air attrayant. Et tandis que la neige tombait, des choses arrivaient, comme dans les romans russes, dans l'âme russe, là où se trouvent Dieu et la glace et la neige, le verbe, le meurtre et l'épilepsie, où l'histoire ne s'efface que pour laisser parler la nature, où, ne fût-ce que dans une chambre, il y a place pour le plus grand drame jamais écrit, pour l'hôte invisible et pour tous les peuples, tous les climats, toutes les langues. La nuit de l'anniversaire de Lincoln, juste avant que la tempête de neige ne s'abatte, Hildred sortit pour poster une lettre, vêtue d'un tailleur de velours. Elle demeura partie trois jours et trois nuits, dans son tailleur de velours garni de boules d'argent sur le devant. Il y en avait vingt-six ou vingt-sept, toutes vides, et marbrées de cicatrices qui, à un organisme microscopique mais doué de la vue, seraient sans aucun doute apparues semblables aux canaux de la planète Mars, tels qu'ils apparaissent à l'œil humain. Durant son absence, le téléphone ne sonna pas une seule fois, et pas une seule fois ne sonna à la porte un des employés de la compagnie du télégraphe, un de ces coursiers hors d'âge ou débiles qui vous tendent une enveloppe cachetée et trois centimètres de crayon sans mine en disant : « Signez ici. » Le monde était enveloppé d'ouate, et la ouate n'avait rien à raconter.

Tony Bring était couché dans son lit et Vanya dans le sien. Le premier jour, Vanya avait dit tu n'es pas inquiet et il avait répondu non. Le deuxième jour, Vanya avait dit qu'est-ce que tu vas faire et il avait répondu rien. Le troisième jour, Vanya avait dit je vais prévenir la police et il n'avait rien répondu. Mais au lieu d'aller prévenir la police, elle était allée se saouler, et en rentrant, elle délirait sur les cathédrales et les rats et les athlètes à cou de taureau ; elle abandonna même toute originalité, se décrivant comme « une flèche vibrante, tendue vers l'autre rivage ». Vers le matin, elle se mit à chanter faux, à crier et à pousser des glapissements, et se dressa, plaquant ses paumes sales contre les murs pour les écarter. Les sœurs danoises frappèrent sur le plancher avec leurs chaussures. Cela demeurant sans effet, la seule chose qui restât à faire était de lui jeter un seau d'eau, ce qui fut fait. Sur quoi elle s'endormit, aussi calme que dans une camisole de force, et Tony Bring inspecta ses ongles de pieds, qu'elle avait longs et recourbés. Au matin, Hildred fit son apparition, le regard vitreux, déclarant pour toute explication qu'elle avait rencontré un poète ; ce disant, elle s'effondra sur le lit sans même ôter son tailleur de velours, qui n'avait plus à présent que vingt-deux ou vingt-trois boules sur le devant, toutes vides et marbrées de cicatrices.

Elle dormit longtemps, longtemps, et quand elle s'éveilla, personne ne savait s'il était sept heures du matin ou sept heures du soir. Elle ouvrit la fenêtre et confectionna une boule de neige. Puis elle sortit pour

242

acheter à manger — une tonne de provisions — et affirma que le spectacle était magnifique, dehors. Il existait deux choses bonnes pour le teint, et deux seulement : un climat humide, comme celui de l'Angleterre par exemple, et la neige fraîche. Quel que fût le sujet abordé, elle n'avait que la neige à la bouche. Ses yeux demeuraient toujours vitreux et, si elle paraissait rayonnante, c'était d'une étrange lumière, celle de la neige ; après avoir mangé, elle vomit, et ce merveilleux éclat que la neige avait fait naître sur ses joues s'éteignit, sa peau retrouva l'aspect qu'elle avait toujours eu — d'un blanc duveteux, satiné, lourd et alangui. Avec ses lèvres rouge vif et ses grands yeux ronds et brillants, elle évoquait une hallucination de fièvre, et la fièvre altérait son discours.

Du jour où la tempête de neige se déclara, c'est-à-dire pour l'anniversaire de Lincoln, jusqu'à celui de Washington, Tony Bring ne quitta pas le lit, si ce n'est pour aller à la salle de bains. Il souffrait d'hémorroïdes. Hildred était allée acheter un tube de pommade à la pharmacie et, dans la boîte, ils trouvèrent la description du mal, imprimée en cinq langues. Voilà ce que disait la version anglaise :

## *HÉMORROÏDES*

*Les **Hémorroïdes** sont des varices provoquées par la dilatation des veines du rectum. Elles sont essentiellement dues à la constipation et à l'entérite, et peuvent être internes ou externes. Les crises sont parfois accompagnées de démangeaisons. La selle est presque toujours douloureuse.*

### Notre traitement

*Éviter toute nourriture susceptible d'irriter les organes : plats épicés, gibier, etc.*

243

*Réduire la consommation de viande, jusqu'à un régime quasi végétarien.*

*Éviter la constipation, mais surtout ne jamais prendre de purgatifs violents, comme la scamonée, l'aloès ou le jalap.*

*Prendre des infusions légères de bourdaine ou, mieux encore, de l'huile de paraffine.*

*Utiliser la canule pour faire pénétrer un peu de* **Sedosol** *dans le rectum. En cas de démangeaisons, masser doucement avec du* **Sedosol**. *L'effet calmant est immédiat.*

*Avant chaque application, ne pas omettre de lotionner soigneusement avec de l'eau bouillie chaude.*

*Notre produit, qui est une réelle innovation médicale, ne graisse ni ne tache la peau, et s'élimine très facilement, même à l'eau froide.*

Ainsi donc, deux fois par jour, elles le retournaient sur le ventre pour lui soigner le rectum. Entre deux séances, elles s'employaient à le lubrifier, si soigneusement, si consciencieusement que, eût-il été une linotype ou un moteur diesel, il aurait fonctionné sans à-coups pendant un an. Mais il faisait un mauvais malade. Au lieu de leur être reconnaissant du mal qu'elles se donnaient, il criait et jurait. Il se plaignait que la glace fondait trop vite, râlait quand elles refusaient de lui faire la lecture. Il demanda *Jérusalem*, de Pierre Loti, et elles revinrent avec un livre de Claude Farrère — *L'homme qui assassina*. Elles étaient de nouveau tout affairées à assembler des bras et des jambes, à teindre des perruques, à monter des articulations, à coudre des vêtements pour leur jeu de massacre en réduction. Toute la journée, et jusque tard dans la nuit, elles s'activaient et besognaient, martelant, rabotant, sifflant, chantant en russe, en français et en allemand, éclusant force vodkas, se gavant de sandwichs, de caviar et d'esturgeon. Elles avaient remplacé les vieilles ampoules, qui dispensaient une lueur jaune et malsaine, par des lampes spéciales qui éclairaient comme en plein jour. L'effet produit était dévastateur. Il lui semblait que sa chair était un agglomérat d'échardes, ses nerfs mis à nu, écorchés. Il sentait battre les veines de son rectum, et le sang bouillonner là, comme s'il s'engouffrait en un pouls précipité. Quel intérêt présentait pour lui leur caquetage frénétique à propos de Picasso, de Rimbaud ou du comte de Lautréamont ? Elles discouraient comme si elles eussent déjà été installées à la terrasse du Dôme. Elles allaient jusqu'à fixer la date de leur départ, et se disputaient âprement sur le choix de la ligne transatlantique, et pour savoir si elles s'installeraient dans un petit hôtel ou loueraient un atelier. Elles savaient d'avance qu'elles ne pourraient prendre de bain que de loin en loin, que les Camel étaient inabordables, et qu'avec un sou on ne pouvait pas même acheter un bouton de cuivre.

Les hémorroïdes suffisent — ô combien ! — à vous rendre nerveux et irritable ; elles vous accablent, vous donnant l'impression que vos viscères vous sortent du corps. Cela peut devenir si infernal, si intolérable, que l'idée d'être pendu par les poignets vous apparaît comme un plaisir sans mélange. Mais lorsque toute la journée, et jusqu'à une heure avancée de la nuit, la pièce se transforme en atelier de menuiserie, sans oublier le vacarme des verres entrechoqués et le babillage incessant, on peut comprendre qu'un homme se mette à dérailler. Et c'est exactement ce qui arriva à Tony Bring. On aurait dit qu'il était soudain devenu cinglé. Il poussait des cris de douleur et de rage, puis il chantait, après quoi il jurait, ou riait. Si elles mentionnaient Picasso, il répondait Matisse ou Czobel, cet homme incroyable, même si Matisse ou Czobel n'évoquaient rien pour lui, pas plus que les autres ; ce qu'il voulait, c'était être entendu, les noyer sous un déluge de mots, ou bien, s'il ne pouvait les noyer, les asphyxier car, il le sentait bien, si elles continuaient de parler, de parler sans cesse, ses entrailles allaient se transformer en sciure, et ce serait de nouveau la fameuse histoire du champignon faux amadou. Lui injecter du bisulfide de carbone ou de l'arséniate de plomb ne servirait à rien. D'un homme saisi au rectum, qui ne demande rien au monde que de demeurer assis sur une compresse de glace pilée, on ne peut exiger la patience d'un saint, ni l'héroïsme d'un dieu. Il veut qu'on le laisse tranquille, en paix, de préférence dans une pièce sombre, pour écouter quelque bon ange lire à haute voix un livre attrayant, ou attristant. Il ne veut pas entendre parler de poèmes festonnés de lumières cuivrées, ou de maisons qui s'ouvrent comme des huîtres. Il n'a pas envie de jouer au casse-tête chinois, car s'il existe un casse-tête chinois qui ne sera jamais résolu, c'est bien de savoir où est allée Hildred le soir de la tempête de neige quand elle est sortie en tailleur de velours avec des boules d'argent creuses sur le devant et qu'après avoir disparu pendant trois jours et trois nuits sans téléphoner ni télégraphier elle a débarqué tout à coup avec les yeux vitreux en expliquant qu'elle avait rencontré un poète, un point c'est tout. Et si elle s'imaginait que l'on pouvait tout rafistoler en appelant une espèce de nabot de médecin, un quelconque résidu de faculté, un âne bâté, elle se trompait. Il n'était pas question de laisser un quelconque youpin faire joujou avec lui, pas même avec son rectum. Cependant, elle fit tout de même venir le médecin, et il eut droit à la séance habituelle, au thermomètre sous la langue et aux questions auxquelles on ne peut répondre. Le médecin, curieusement, au lieu de parler de Capablanca ou de Einstein, parla de Hilaire Belloc qui, disait-il, était un érudit sans jugement, ajoutant que, de toute manière, être en compétition avec les Juifs, c'était pour les Gentils comme de prendre le départ d'une course avec les jambes entravées, car l'esprit juif était âpre, vif et retors, capable de mille volte-face, le temps qu'un Gentil revienne sur une idée. Hildred, extrêmement froissée par l'attitude grossière de son époux, raccompagna le médecin jusqu'à la porte en s'excusant, sur quoi celui-ci lui baisa la main et déclara qu'il n'y avait pas de quoi s'inquiéter. « C'est un paresseux... Il fait le malade », dit-il. Ainsi, c'est d'un cœur léger qu'elle retourna à sa menuiserie, n'accordant dorénavant plus la moindre attention aux gémissements, douleurs, cris et jurons, menaces, éclats de rire, etc.

Livré à lui-même, abandonné comme un parapluie cassé, et la douleur se calmant peu à peu, tant il est vrai que tout passe avec le temps, Tony Bring s'aperçut qu'il était agréable de demeurer ainsi, bien calé en arrière, passant en revue la tragédie de son existence, une tragédie qui commençait, il s'en souvenait très clairement, à l'époque où, du haut de sa chaise de bébé, il récitait tel un chien savant quelques vers de poésie allemande... La langue barbare de ses ancêtres barbares. Ce souvenir était si vivant, intact, si précis que, saisi d'une allégresse insensée, vibrant d'orgueil, il se dit : si je reste ainsi assez longtemps, je pourrai renouer tout le fil de ma vie, jour après jour. Et effectivement, il put revivre heure par heure, minute par minute, certaines journées qui, pour une raison ou pour une autre, se détachaient des autres, comme des jalons dans son existence. Des femmes dont le souvenir s'était effacé au point qu'une semaine auparavant il n'eût même pas réussi à évoquer leur visage, ressuscitaient à présent, dans tous les détails — taille, poids, force de résistance, qualité de la peau, genre de vêtements, façon d'enla-

247

cer... tout... tout. Retraçant la courbe de sa vie, il vit que ce n'était pas l'arc de cercle vaste et enveloppant que l'on imagine, que ce n'était pas non plus une flèche filant droit vers la mort, ni le baiser parabolique de l'infini, pas plus que la noble symphonie de la biologie ; c'était plutôt une succession de secousses, l'enregistrement au sismographe d'oscillations, de sommets et de dépressions, et de larges vallées sereines, semblables à des ménopauses divines.

Tard un après-midi, il bondit hors du lit, comme électrisé, dévora un solide repas, violant ainsi toutes les restrictions alimentaires qui lui étaient imposées, et se mit à écrire. Plus elles faisaient de vacarme, plus elles sifflaient, se gobergeaient, chantaient, mieux il écrivait. En lui les mots se levaient comme des pierres tombales, dansant en l'air ; il les empilait, bâtissant comme une acropole de chair, les martelait avec une haine vengeresse, jusqu'à ce qu'ils se balancent, inertes, tels des cadavres pendus à un réverbère. Les yeux des mots étaient des guitares, ils étaient festonnés de dentelle noire, et il ornait les mots de chapeaux insensés, disposait sous leur giron des pieds de table et des nappes. Il faisait copuler les mots entre eux, pour enfanter des empires, des scarabées, de l'eau bénite, la vermine des rêves et des rêves de blessure. Il les asseyait de force et les attachait à la chaise avec leurs lacets noirs, puis il se jetait sur eux et les fouettait, les fouettait jusqu'à ce que le sang noir ruisselle, et que les yeux déchirent leurs voiles. Les seuls souvenirs de sa vie, c'étaient les secousses, les orgasmes sismographiques qui voulaient dire : « Là, tu vis », « Là, tu meurs ». Et ces larges vallées auxquelles on aspirait, c'était l'herbe digérée que la vache rumine, c'était l'amour que les femmes prennent entre leurs jambes pour le mastiquer, c'était une cloche avec un battant énorme, dont l'éclat déchirait le vent. Les sommets, les dépressions, là était la vie, la poussée du mercure dans le thermomètre des veines, le pouls débridé. Les sommets — le saint qui monte au ciel pour mater le postérieur de Dieu... Le prophète avec des excréments plein les mains, et l'écume aux lèvres... Le derviche aux pieds articulés par la musique, aux entraillles grouillantes de serpents, qui danse, danse, danse, la cervelle rongée de vers. Ni les cimes, ni les profondeurs, mais l'extase inversée, retournée comme un gant, le fond déployé aussi loin que le sommet, l'humiliation tendue, non pas seulement jusqu'à la terre, mais dans la terre, traversant l'herbe et le sol et les rivières souterraines, du zénith au nadir. Haïr férocement tout ce que l'on aimait. Non pas le dard glacé de la conscience, ni les tourments de la flagellation mentale, mais l'éclat de lames vives, cruelles, le mépris, l'insulte, l'outrage, ne pas douter de Dieu mais le nier, le dépecer, cracher sur Lui. *Mais Dieu, toujours !*

Puis, une nuit, Vanya se dressa, pareille à un dauphin couvert de boue, et déclara : « Je vais devenir folle... folle ! » Parfait ! Enfin, nous y voilà... *Deviens folle !* se dit-il. Devenir fou, c'est cesser d'être un eunuque, quitter les vallées fertiles, ne pas se masturber avec de la peinture ni changer de nom. Si seulement elle devenait folle, il l'enlacerait dans la folie, elle mâle, lui femelle ; il infibulerait la maison, ils mourraient d'excès. Quant à la créature amphibie qui changeait de sexe à chaque saison et se fermait sur elle-même comme une huître, parlant de ses deux coquilles dures comme de son mystère, elle pourrait le cultiver dans l'iode et dans la vase. Plus froide qu'une statue, la voix blanche, le regard vitreux, celle qui n'était que mystère se tenait près de la planche à tripes. Comme une somnambule se poignardant encore et encore. Une répétition générale devant une salle vide, une débâcle improvisée, où l'actrice se vengeait sur l'auteur. Où que se dirigeât son regard fiévreux, il y avait des bras, des jambes, des perruques violettes et, posé dans un coin comme une vieille mandoline, il y avait le Comte, et le Comte tendait l'oreille, s'efforçant de distinguer le gargouillis des tuyaux, la cascade de l'eau qui tombe, dans un engorgement de glace et de feu liquide, de caillots de sang et de violettes murmurantes. Elle était là, comme une somnambule se poignardant encore et encore, et par les plaies qu'elle creusait en elle à l'aide d'un couteau brisé, son superbe ego s'échappait en gesticulations de sciure. Perçant le brouillard qui stagnait entre ses deux yeux, elle vit des montagnes, et de larges bassins d'alcali, et des plateaux rocailleux parsemés de broussailles où, le soir, la température tombait comme une ancre et le vent gémissait.

La Grande Vanya s'assit et se boucha les oreilles, dans l'espoir que tout pourrait ainsi recommencer ; elle se plia en deux, devint flasque, et son corps s'enroula sur lui-même, bras et jambes noués comme des serpents, telle une pelote d'élastiques. Elle demeurait immobile, respirant à la manière d'un fœtus, et si une quelconque pensée s'éveillait en elle, son nombril l'absorbait ; lui aurait-on demandé son nom, elle n'aurait pas pu dire si c'était Myriam, Michaël, David, Vanya, Esther, Astheroth, Belzébuth ou Romanov. Elle se coulait en elle-même, si profondément, si aveuglément, si éperdument, qu'elle était tout à la fois matrice et fœtus ; ce qui remuait et palpitait dans l'au-delà était comme des coups sourds contre un ventre gonflé.... Boum, boum... Une jument sauvage piaffait sur son ventre, la courbe de sa croupe imitant l'orbe du ciel.

Cette statue qui se tenait là, impassible, le regard vitreux, qui se poignardait encore et encore, c'était une scène de film cent fois tournée. A chaque déclic de l'obturateur, le regard plongeait plus profondément dans le rêve. La mort à répétition, et la violence de la vie rêvant un rêve de mort... Rêve et mort... La même scène, filmée cent fois. A chaque déclic de l'obturateur, l'œil plongeant plus profondément. Du marbre muet frotté d'érotisme, une extase noire projetée sur l'écran blanc de l'imaginaire. L'hystérie. L'hystérie de la pierre. Une femme de pierre, frissonnante de musique. Une statue copulant avec la vérité. Une statue masturbant le mensonge. Une masturbation incessante, obscène... une litanie de caoutchouc dans un rêve de latex. Une femme hystérique avec des organes de marbre, une femme de marbre aux organes hystériques, une pierre femelle vomissant ses entrailles dans une fontaine de feu qui éventre la glace. Une femme hystérique peut tout imaginer d'elle-même — qu'elle a couché avec Napoléon, ou offert ses lèvres à Dieu. Elle peut affirmer avoir assouvi ses désirs avec des boucs ou des poneys Shetland, elle peut avouer avoir aimé six hommes en même temps, et chacun d'eux de toutes ses forces. Elle peut se mettre à frissonner de musique, si fort que le souvenir de ses passions se désintègre et s'effondre comme un immeuble en flammes. Tout peut se consumer, qui n'est pas de pierre. Les organes demeurent intacts, de marbre muet frotté d'érotisme, d'extase accrochée sur un écran blanc. Verrouillez toutes les portes et mettez le feu à la maison ; là où demeure la statue qui masturbe le mensonge, il y aura toujours de la musique, le frisson de la pierre sur le feu, le feu qui éventre la glace. Poignardez-la, encore et encore, plongez votre regard plus loin dans le rêve, ce n'est qu'une mort à répétition, un regard vitreux d'extase et, à chaque déclic de l'obturateur, un mensonge, une copulation. Quand les femmes aux organes de marbre tentent de coucher avec Dieu, le divin parvient à la ménopause. Ce qui était une tragédie antique, la musique noble des mythes et des légendes, finit dans la prophylaxie. Ceux qui jadis croyaient incarner des personnages voient leur texte et leurs gestes se déliter et devenir sciure. Autrefois, le monde était jeune, et l'on exhibait fièrement ses blessures, car Dieu avait posé Son doigt dans les plaies, et rien ne devait les refermer ; il fallait les porter avec courage, dans la douleur. Aujourd'hui, nous filons vers la tempête comme des sloops aux flancs rongés, et vous pouvez enfoncer un parapluie dans les trous béants de nos plaies — mais il n'y a ni douleur, ni courage. Nous et nos personnages — car nous sommes nos personnages — coulons comme des embarcations abandonnées, comme des sloops trop pourris pour affronter la première tempête venue.

*Finis.*

# TABLE

Cet ouvrage a été composé
par Compo 2000
et imprimé par
la S.E.P.C. à Saint-Amand-Montrond (Cher)
pour le compte des éditions Belfond.

Achevé d'imprimer en octobre 1991.

Dépôt légal : octobre 1991.
N° d'Éditeur : 2774. N° d'Impression : 2463.

*Imprimé en France*